# Berliner Platz 2

## NEU

**Deutsch im Alltag**

**Intensivtrainer**

von
Christiane Lemcke
Lutz Rohrmann

in Zusammenarbeit mit
Theo Scherling

**Klett-Langenscheidt**

München

Von Christiane Lemcke und Lutz Rohrmann
in Zusammenarbeit mit Theo Scherling

Redaktion: Uli Wetz
Gesamtkonzept und Layout: Andrea Pfeifer
Umschlaggestaltung: Svea Stoss, 4S_art direction
Coverfoto: Strandperle Medien Services e. K.; Abbildung Straßenschild: Sodapix AG
Illustrationen: Nikola Lainović

**Materialien zu** *Berliner Platz 2 NEU*:

| | |
|---|---|
| **Gesamtausgaben:** | |
| Lehr- und Arbeitsbuch mit Audio-CD zum Arbeitsbuchteil | 978-3-12-606039-4 |
| Lehr- und Arbeitsbuch mit Audio-CD zum Arbeitsbuchteil und Zusatzteil „Im Alltag EXTRA" | 978-3-12-606040-0 |
| Lehr- und Arbeitsbuch mit Audio-CD zum Arbeitsbuchteil und Treffpunkt D-A-CH 2 | 978-3-12-606042-4 |
| 2 Audio-CDs zum Lehrbuchteil | 978-3-12-606041-7 |
| **Ausgabe in Teilbänden:** | |
| Lehr- und Arbeitsbuch, Teil 1 | 978-3-12-606069-1 |
| 1 Audio-CD zum Lehrbuchteil 1 | 978-3-12-606071-4 |
| Lehr- und Arbeitsbuch, Teil 2 | 978-3-12-606070-7 |
| 1 Audio-CD zum Lehrbuchteil 2 | 978-3-12-606072-1 |
| **Zusatzkomponenten:** | |
| Intensivtrainer 2 | 978-3-12-606043-1 |
| Lehrerhandreichungen 2 | 978-3-12-606046-9 |
| Testheft 2 | 978-3-12-606045-5 |
| DVD 2 | 978-3-12-606044-8 |
| Treffpunkt D-A-CH 2 | 978-3-12-606051-6 |
| Digital mit Interaktiven Tafelbildern | 978-3-12-606055-4 |

**Symbole im Intensivtrainer:**

nach **1** Nach der Bearbeitung von Übung 1 im Lehrbuchteil können Sie diese Übung(en) im Intensivtrainer bearbeiten.

Bei diesem Symbol finden Sie Hilfe unter der Übung.

1. Auflage    1 ⁶ ⁵ ⁴ ³ | 2017 16 15 14

Satz: Franzis print & media GmbH, München
Gesamtherstellung: Print Consult GmbH, München

ISBN 978-3-12-606043-1

MIX
Papier aus verantwor-
tungsvollen Quellen
FSC® C084279

# Berliner Platz 2 NEU

**Intensivtrainer**

*Wenn ich etwas nicht verstehe, dann frage ich sofort nach.*

*Wenn ich eine Auskunft brauche, dann notiere ich mir vorher die Fragen.*

## Inhaltsverzeichnis

*Zum Beispiel im Intensivtrainer A2.*

*Wo finde ich noch mehr Übungen?*

# Das steht dir gut!

nach **2**

**1 Kleidung**

**a** Schreiben Sie die Wörter zum Bild. 🖼↓

*Handwritten labels on image:* Mütze, Das Hemd, Der Rock, Der Kleid, Jacke, Hose, Strumpf, unterhose

**1. die Arbeitshose**

die Jeans • die Socke • der Pullover • der Schutzhelm • der Stiefel • die Arbeitshose • die Bluse •
der Schuh • der BH • der Slip • die Strumpfhose • die Unterhose • der Mantel • die Krawatte • das Hemd • die Mütze •
die Winterjacke • der Schal • der Gürtel • der Rock • das Kleid • das Unterhemd • der Handschuh • der Sportschuh

**b** Wiederholung: Körperteile – Schreiben Sie möglichst viele Wörter für Körperteile auf. Vergleichen Sie im Kurs.

das Gesicht, die Haare, ...

**2 Was trägt man wann?**

**a Ergänzen Sie die Sätze.**

manchmal • nie • oft • selten • immer

1. Auf einer Baustelle muss man _____immer_____ einen Helm tragen.

2. Bei der Arbeit trägt man fast _____nie_____ eine Jogginghose.

3. Im Theater trage ich _____ einen Anzug, aber nicht oft.

4. In Deutschland ist es _____ kalt.

5. In der Sahara regnet es sehr _____ .

**b Fragen und Antworten – Schreiben Sie.**

1. oft / Jeans / du / Trägst / ?

● _Trägst du Jeans oft?_

Ich / in / trage / Jeans / Freizeit / nur / meiner / .

○ _Ich trage nur Jeans in meiner Freizeit._

2. Sie / tragen / bei / Frau Müller / der / Arbeit, / Was / ?

● _____

und / Bluse / eine / oft / einen / trage / Ich / Rock / .

○ _____

3. trägst / du / Freizeit / in / Was / deiner / ?

● _____

ich / Da / eine / trage / manchmal / Jogginghose / .

○ _Ja, ich trage manchmal eine Jogginghose._

nach **3**

**3 Orientierung im Kaufhaus**
**a Schreiben Sie die Wörter für die Stockwerke ins Kaufhaus.**

_erster Stock_

**b Wo finde ich … ? – Ergänzen Sie die Sätze.**

rechts • links • vorne • hinten

1. Sweatshirts finden Sie hier

   _vorne rechts_ .

2. Die Herrenmäntel sind

   _hinten rechts_ .

3. Hosen finden Sie

   _hinten links_ .

4. Schuhe sind gleich

   _vorne links_ .

**4 Kleidung kaufen – Ergänzen Sie die Sätze.**

billiger • in Blau • anprobieren • Umkleidekabinen • eine Nummer größer • fürs Büro • warm • Keine Ahnung! • zu teuer • im zweiten Stock • Anzug

1. ● Entschuldigung, wo kann ich den Rock _____?

   ○ Die _____ sind da hinten links.

2. ● Der Rock ist mir zu klein. Haben Sie ihn _____?

   ○ Ja, aber dann nur noch _____.

3. ● Der Anorak ist mir zu _____, ich suche etwas für den Sommer.

   ○ Leichte Anoraks und Jacken finden Sie _____.

4. ● 200 Euro kostet der Mantel? Das ist _____.

   ○ Der hier ist _____. Nur 169 Euro.

5. ● Brauchen Sie etwas für die Freizeit oder _____?

   ○ Ich suche einen _____ für die Arbeit.

6. ● Welche Größe haben Sie?

   ○ _____

**5 Personalpronomen**

**a Ergänzen Sie die Personalpronomen in der Tabelle.**

| Nominativ | *ich* | | *er/es/sie* | | | *sie/Sie* |
|---|---|---|---|---|---|---|
| Akkusativ | | *dich* | | *uns* | | |
| Dativ | | | *ihm/ihm/ihr* | | | |

**b Markieren Sie die Verben und ergänzen Sie die Personalpronomen im Dativ.**

mir • mir • ihm • Ihnen • Ihnen • euch • dir

1. Das T-Shirt gefällt ___*mir*___ nicht. Was sagst du?

   Gefällt es ___*dir*___?

2. Das Kleid steht _____ sehr gut.

   Dieses Orange passt wunderbar zu _____ .

3. Pia und Sonja, wie gefallen ___*euch*___ die Röcke?

4. Hast du Ralf mit der neuen Brille gesehen?

   Die steht ___*ihm*___ aber überhaupt nicht.

5. Können Sie _____ bitte die Sommerhosen zeigen?

nach 6

**6 Demonstrativpronomen:** *der, das die ...* – Ergänzen Sie.

1. Der Rock ist aber schön.   Nominativ   <u>Der</u>   ist auch sehr teuer.

   Akkusativ   _____ will ich unbedingt **haben**.

   Dativ   Was? **Mit** _____ gehe ich nicht auf die Straße.

2. Das Hemd ist zu teuer.   Nominativ   _____ hier ist billiger.

   Akkusativ   _____ kaufe ich nicht.

   Dativ   Bei _____ finde ich auch die Farbe nicht schön.

3. Die Krawatte steht Ihnen.   Nominativ   Ja, _____ ist toll.

   Akkusativ   O.k., _____ kaufe ich.

   Dativ   Aber kann ich mit _____ ins Büro?

nach 8

**7 Vergleiche:** *genauso schön wie / schöner als ...* – Schreiben Sie die Sätze.

1. Maria, Hosen ☺ / ☹ Röcke, gern tragen
   *Maria trägt lieber Hosen als Röcke.* _____

2. Anzug (75 €) / Hose (75 €), teuer sein
   *Der Anzug ist* _____

3. Schuhe (80 €) / Stiefel (120 €), billig sein
   _____

4. Hemd ☺ / T-Shirt ☹, schön sein
   _____

5. Jacke + / Bluse –, weit sein
   _____

6. Jacke (50 €) / Mantel (40 €), viel kosten
   _____

7. Bikini (30 €) / Badeanzug (30 €), viel kosten
   _____

8. Tom, Hemd / T-Shirt, gern tragen
   _____

9. Pullover + / Hemden –, warm sein
   _____

10. Sissi, Kleider ☺ / Jeans ☹, gern anziehen
   _____

# Die Wortschatz-Hitparade

## Nomen

| | | | |
|---|---|---|---|
| der Anzug, "-e | _____ | der Pullover, – | _____ |
| die Bluse, -n | _____ | der Rock, "-e | _____ |
| das Erdgeschoss, -e | _____ | der Schmuck _Sg._ | _____ |
| der Fleck, -e | _____ | der Schuh, -e | _____ |
| die Größe, -n | _____ | der Slip, -s | _____ |
| das Hemd, -en | _____ | die Socke, -n | _____ |
| die Hose, -n | _____ | das Sonderangebot, -e | _____ |
| die Jeans, – | _____ | der Spiegel, – | _____ |
| das Kleid, -er | _____ | der Stiefel, – | _____ |
| die Kleidung, -en | _____ | der Strumpf, "-e | _____ |
| die Kosmetik _Sg._ | _____ | das Stück, –/-e | _____ |
| das Kostüm, -e | _____ | das T-Shirt, -s | _____ |
| der Mantel, "- | _____ | das Unterhemd, -en | _____ |
| das Parfüm, -e/-s | _____ | die Unterhose, -n | _____ |

## Verben

| | | | |
|---|---|---|---|
| ändern | _____ | einfallen | _____ |
| anprobieren | _____ | reduzieren | _____ |
| anziehen | _____ | stehen | _____ |

## Adjektive

| | | | |
|---|---|---|---|
| ärgerlich | _____ | elegant | _____ |
| begeistert | _____ | eng/weit | _____ |
| bunt | _____ | komplett | _____ |
| einzeln | _____ | schrecklich | _____ |
| kurz/lang | _____ | teuer/billig | _____ |

## Andere Wörter

| | | | |
|---|---|---|---|
| doch | _____ | klasse | _____ |
| eher | _____ | niemand | _____ |
| etwas | _____ | wieso | _____ |
| ganz gut | _____ | überall | _____ |
| gar nicht | _____ | überhaupt | _____ |

**8** Männerkleidung und Frauenkleidung –
Sammeln Sie Wörter.

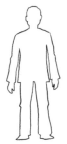

> *die Hose*
> *die Arbeitshose*

**9** Ergänzen Sie die Sätze mit Wörtern aus der Hitparade.

1. Was hast du denn an? Das Hemd steht dir _____ nicht.

2. Ich habe ein super Kleid für 20 Euro gekauft. Ich bin ganz _____ davon!

3. Der Anzug ist gut. Den musst du mal _____. Davorne ist die Umkleidekabine.

4. Die Bluse hat einen Fleck. Können Sie die im Preis etwas _____?
   Für 15 Euro kaufe ich sie.

**10** Wichtige Sätze und Ausdrücke – Schreiben Sie in Ihrer Sprache.

Entschuldigung, ich suche die Herrenabteilung.  _____

Wo finde ich Kinderkleidung?  _____

Ich suche ein Kleid / eine Hose …  _____

Wo kann ich das Hemd anprobieren?  _____

Der Rock ist mir zu lang/kurz/weit/eng/teuer.  _____

Haben Sie die Bluse eine Nummer größer/kleiner?  _____

Steht mir das? / Wie steht mir das?  _____

Das steht dir gut / ganz gut / nicht.  _____

Rot steht dir (nicht).  _____

**11** Wichtige Wörter und Sätze für Sie – Schreiben Sie.

Ihre Sprache:                                Deutsch:

_____          _____

_____          _____

_____          _____

_____          _____

**12** Ich über mich
Meine Kleidung bei der Arbeit und in der Freizeit

> *Bei der Arbeit muss ich immer eine Arbeitshose tragen. Sie ist blau.*
> *Ich mache gerne Sport. Dann trage ich …*

# Feste, Freunde, Familie

nach 2

**1 Glückwünsche – Ergänzen Sie die fehlenden Buchstaben.**

1. Fr__ __e  O__ __ __ __n!

2. P__ __ __ __  N__ __ __ __ __ __r!

3. F__ __he  W__ __ __ __ __ __ __ __ __n!

4. V__ __ __  Gl__ __ __  f__ __  e__ __ __
   be__ __ __!

5. H__ __ __li__ __ __n  G__ __ __kw__ __ __ch
   z__ __  __ __ __ __ __ __ __ __ __ __ __ __!

**2 Verben**

**a Ergänzen Sie.**

tanzen • essen • feiern • ~~anziehen~~ • bringen • kaufen • heiraten • trinken • suchen

1. An Feiertagen möchte ich immer etwas Schönes _____*anziehen*_____. Ich mag schöne Kleider.

2. Heute ist schon der 23. Dezember. Ich muss noch Geschenke _____.

3. Am ersten Weihnachtsfeiertag möchten wir etwas Besonderes _____.

4. An Silvester _____ wir immer mit Freunden.

5. An Ostern _____ die Kinder gerne Eier.

6. Uli und ich wollen am 22. März _____.
   Ihr seid herzlich eingeladen.

7. Bei der Hochzeit Reis zu werfen soll
   Glück _____.

8. Vielen Dank für das schöne Fest. Die Musik ist super,
   man kann gut darauf _____.

9. Ich darf nichts mehr _____,
   ich muss noch fahren.

**b Ergänzen Sie die Verbformen: 3. Person Präsens und Partizip 2.**

1. bringen   er/sie ___*bringt*___   er/sie hat ___*gebracht*___

2. anziehen   er/sie _____   er/sie hat _____

3. gehen   er/sie _____   er/sie ist _____

4. essen   er/sie _____   er/sie hat _____

5. trinken   er/sie _____   er/sie hat _____

nach **3**

**3 Eine Einladung**

Finden Sie die 10 Fehler: Fünf Verben stehen falsch und fünf Nomen sind kleingeschrieben.

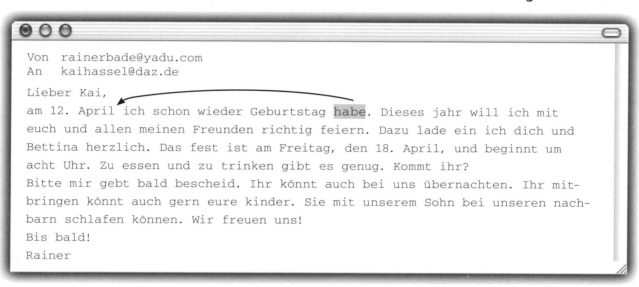

Von    rainerbade@yadu.com
An     kaihassel@daz.de

Lieber Kai,
am 12. April ich schon wieder Geburtstag habe. Dieses jahr will ich mit
euch und allen meinen Freunden richtig feiern. Dazu lade ein ich dich und
Bettina herzlich. Das fest ist am Freitag, den 18. April, und beginnt um
acht Uhr. Zu essen und zu trinken gibt es genug. Kommt ihr?
Bitte mir gebt bald bescheid. Ihr könnt auch bei uns übernachten. Ihr mitbringen könnt auch gern eure kinder. Sie mit unserem Sohn bei unseren nachbarn schlafen können. Wir freuen uns!
Bis bald!
Rainer

nach **4**

**4 Possessivartikel (Wiederholung)**
Ergänzen Sie die Endungen.

1. Mein_____ Geburtstag feiere ich immer mit mein_____ Freunden.

2. Unser_____ Mutter feiert ihr_____ Geburtstag immer noch gerne. Sie ist schon 88.

3. Was schenkt ihr eur_____ Vater und eur_____ Mutter zu Weihnachten?

4. Ja, wir wollen mit unser_____ Eltern an die Ostsee fahren.

5. Das haben unser_____ Freunde im letzten Jahr mit ihr_____ Großmutter auch gemacht.

6. Kommst du am Sonntag mit dein_____ Kindern zu uns?

**5 Sätze mit Dativ- und Akkusativergänzung**
a Was passt zusammen?

1. Ich kaufe meiner Freundin          _____ a) nichts zu Weihnachten geschenkt.

2. Mein Vater hat mir wieder          _____ b) einen Computer zur Hochzeit schenken?

3. Was schenkst du                    _____ c) meinen Fernseher für 99 Euro.

4. Willst du uns wirklich             _____ d) eure Fahrräder leihen?

5. Zu Ostern musst du deiner Tante    _____ e) eine Postkarte schreiben.

6. Bis wann könnt ihr uns             _____ f) das Problem noch einmal erklärt.

7. Ich verkaufe dir                   _____ g) deinem Sohn zu Weihnachten?

8. Er hat mir                         _____ h) eine Halskette zum Geburtstag.

**b Schreiben Sie zehn Sätze wie im Beispiel. Es gibt viele Möglichkeiten. Kontrollieren Sie im Kurs.**

| Wer? | Wem? | Was? | Verben |
|------|------|------|--------|
| Ich | Sohn/Tochter | Blumen | zeigen • schreiben • |
| Peter | Frau/Mann | mein Auto | leihen • kaufen • |
| Sylvia | Vater/Mutter | das Problem | schenken • verkaufen • |
| Herr Knoll | Großvater/Großmutter | einen Kuss | erklären • geben • |
| Cindy und Bert | Freund/Freundin | einen Brief | empfehlen |
| | Kollege/Kollegin | eine Reise | |
| | Chef/Chefin | einen Gutschein | |
| | … | eine Halskette | |
| | | den Weg zu mir | |
| | | mehr Ruhe | |
| | | … | |

> *Ich schreibe meiner Tochter einen Brief.*
> *Peter schenkt seinem …*

nach **6**

**6 Über die Familie sprechen**
**a Familien-Wortschatz (Wiederholung) – Schreiben Sie das „Gegenteil".**

der Vater      _____

die Tochter      _____

die Großmutter      _____

der Cousin      _____

die Schwester      _____

der Ehemann      _____

die Tante      _____

die Eltern      _____

die Scheidung      _____

HUND
KATZE

**b Schreiben Sie passende Fragen zu den Antworten.**

1. _____ ?    Ja, ich bin seit einem Jahr verheiratet.

2. _____ ?    Nein, ich habe keine Kinder.

3. _____ ?    Meine Eltern wohnen in Italien.

4. _____ ?    Ich sehe meine Eltern einmal im Jahr.

5. _____ ?    Meine Mutter ist 60 und mein Vater 58.

6. _____ ?    Zu Familienfesten kommen 20 bis 30 Leute.

nach **8**

**7** Modalverben: *dürfen, können, müssen, wollen* (Wiederholung)
Ergänzen Sie die Sätze. Es gibt z. T. mehrere Möglichkeiten.

1. ● Mama, _____ wir jetzt fernsehen?   ○ Nein, ihr _____ noch aufräumen.

2. ● Hier _____ du nur 30 fahren.   ○ Ich _____ aber nicht zu spät kommen.

3. ● _____ du gut kochen?   ○ Nein, ich _____ nur Kaffee kochen.

4. ● _____ ihr uns heute besuchen?   ○ Ja, aber wir _____ erst um 8 kommen.

5. ● Warum _____ Olga nach Hause gehen?   ○ Sie _____ sehr früh aufstehen.

6. ● _____ ich mal dein Handy benutzen?   ○ Ja, aber ich _____ noch schnell Tom anrufen.

7. ● _____ du mein iPhone® kaufen?   ○ Nein, ich _____ nicht, das ist mir zu teuer.

**8** „Letzte Woche war ich krank." – Schreiben Sie Sätze wie im Beispiel.

Sie müssen viel schlafen.

① Sie müssen viel schlafen.

② Sie dürfen keinen Alkohol trinken.

③ Sie dürfen keinen Sport machen.

④ Sie können nur spazieren gehen.

⑤ Sie wollen doch gesund werden!

Letzte Woche war ich krank:

1. *Ich musste viel schlafen.* _____
2. *Ich* _____
3. _____
4. _____
5. _____

**9** Modalverben im Präteritum – Schreiben Sie die Sätze.

1. Gestern / wir / ins Kino gehen / wollen / .   *Gestern wollten wir* _____

   Aber / wir / länger arbeiten / müssen / .   _____

2. du / Fahrrad fahren / mit 12 / können / ?   _____

3. Sie / alleine verreisen / mit 16 / dürfen / ?   _____

4. Mehmet / gestern / Wörter lernen / müssen / .   _____

5. ● wollen / ihr / nicht verreisen / ?   _____

   ○ wir / wollen, aber / dürfen / wir / nicht / .   _____

# Die Wortschatz-Hitparade

## Nomen

die Bevölkerung, -en _____  die Mitternacht, "-e _____

die Beziehung, -en _____  der Osten *Sg.* _____

die Blume, -n _____Flower_____  Ostern, – _____

der Brief, -e _____  das Osterfest, -e _____

der/die Cousin/e, -s/-n _____  der/die Rentner/in, –/-nen _____

die Ehe, -n _____  der Rest, -e _____

die Erinnerung, -en _____  der Ring, -e _____

die Erklärung, -en _____  die Scheidung, -en _____

die Feier, -n _____  die Schokolade, -n _____

die Ferien *Pl.* _____  das Schwein, -e _____

die Geburt, -en _____  Silvester, – _____

der Haushalt, -e _____  das Standesamt, "-er _____

der Hund, -e _____  die Trauung, -en _____

die Krankenschwester, -n _____  die Überraschung, -en _____

die Leute *Pl.* _____  die Wand, "-e _____

das Licht, -er _____  Weihnachten, – _____

das Lied, -er _____  das Weihnachtsfest, -e _____

die Mama, -s _____  der Westen *Sg.* _____

die Mitteilung, -en _____  die Zukunft *Sg.* _____

## Verben

annehmen _____  riechen _____

sich bedanken _____  schenken _____

bestehen _____  übernachten _____

bringen _____to bring_____  weggehen _____

dazugehören _____  werfen _____

meinen _____  zusammenleben _____

## Adjektive

alleinerziehend _____  wenig _____

## Andere Wörter

wem _____  wie lange _____

wen _____  wie oft _____

**10** Wörter thematisch – Was passt? Notieren Sie Wörter aus der Hitparade und andere.

schenken *sich freuen, der Ring* _____

_____

Feste _____

_____

Familie und Freunde _____

_____

_____

**11** Wichtige Sätze und Ausdrücke – Schreiben Sie in Ihrer Sprache.

Fröhliche Weihnachten! _____

Frohe Ostern! _____

Herzlichen Glückwunsch und alles Gute! _____

Gute Besserung! _____

Danke, das ist nett von Ihnen. _____

Ich möchte euch zu meinem Fest einladen. _____

Ich komme gerne. / Wir kommen gerne. _____

Was können wir dir/euch schenken? _____

Bist du verheiratet? _____

Lebst du allein? _____

Wie lange kennst du … schon? _____

Wo hast du … kennengelernt? _____

**12** Wichtige Wörter und Sätze für Sie – Schreiben Sie.

Ihre Sprache:                    Deutsch:

_____          _____

_____          _____

_____          _____

_____          _____

_____          _____

**13** Ich über mich
**Meine Feste – Schreiben Sie fünf Sätze.**

Mein wichtigstes Fest • Das schönste Fest in meinem Leben • Mein schönstes Geschenk

# 15 Miteinander leben

nach 1

**1 Texte**

**a Ergänzen Sie Text 1.**

wie ich heiße • in der Türkei • geboren und aufgewachsen • einer von ihnen • ist nicht genug •
seit über • meine Heimat • zu Besuch • für viele

Meine Familie kommt aus der Türkei und lebt _____

30 Jahren in Deutschland. Ich bin in Deutschland _____

_____ . Ich habe einen deutschen Pass.

Bin ich nun Deutscher oder Türke? Ist Deutschland

_____ oder die Türkei?

Für meine Verwandten _____ bin ich

„der Deutsche". Das kann ich verstehen, weil ich ja nur manchmal

_____ komme. Aber für viele Deutsche bleibe ich immer

„der Türke".

Man ist _____ Deutsche noch lange nicht Deutscher,

wenn man den deutschen Pass hat. Auch gut Deutsch sprechen _____ .

Weil ich heiße, _____ , und aussehe, wie ich aussehe, bin ich für manche nie

_____ .

**b Ergänzen Sie Text 2.**

von der anderen Kultur • in zwei Kulturen • lebe in • arbeite bei • sehr viele • kein Problem •
sehr locker • Das gibt • sehr geholfen • das Arbeiten und Leben

Ich _____ einer internationalen Software-Firma und

_____ den USA und in Deutschland.

Ich habe mich gut auf _____ im Aus-

land vorbereitet. Die Sprache war _____ , weil ich in der

Schule Englisch gelernt habe. Die Firma hat mir _____

… „_____ keine Probleme, weil die USA und Deutsch-

land ja zwei westliche Länder sind." Das habe ich geglaubt, bis ich den

amerikanischen Alltag kennengelernt habe. Am Anfang sieht alles

_____ aus, aber man muss _____ Regeln

kennen. Wenn man _____ lebt, kann man sehr gut vergleichen und man

kann viel _____ lernen.

nach 3

**2 Begründungen – Was passt zusammen? Ordnen Sie zu.**

1. Wir möchten später wieder in unsere Heimat, _____ a) weil man viele neue Erfahrungen macht.

2. Olga lebt gerne in Deutschland, _____ b) weil es da fast immer dunkel ist.

3. Im Ausland leben kann Spaß machen, _____ c) weil sie heiraten.

4. Jost macht ein großes Fest, _____ d) weil es ihr gutgeht.

5. Tina und Gerd haben uns eingeladen, _____ e) weil ich hier nur wenige Verwandte habe.

6. Ich kann heute nicht kommen, _____ f) weil unsere ganze Familie dort wohnt.

7. Für mich sind meine Freunde sehr wichtig, _____ g) weil ich für den Test lernen muss.

8. Raoul findet Deutschland im Winter furchtbar, _____ h) weil er 30 wird.

**3 Warum? Weil … – Schreiben sie die weil-Sätze.**

1. Warum hat Feridun Probleme?
   er / sich / nicht akzeptiert / fühlen / .                    *Weil er sich nicht akzeptiert fühlt.*
2. Warum lebt Enrique in Deutschland?
   Arbeit / finden / hier / er / .
3. Warum lernt Mehmet heute Abend?
   morgen / einen Test / schreiben / er / .
4. Warum willst du nach China?
   die Sprache lernen / ich / wollen / .
5. Warum gehst du nicht arbeiten?
   ich / Urlaub / haben / .
6. Warum musst du zum Arzt?
   ich / eine Erkältung / haben / .
7. Warum kaufst du dir kein Handy?
   ich / sparen / müssen / .
8. Warum gehen wir nicht mal tanzen?
   ich / nicht tanzen / können / .
9. Warum ist Olga nicht gekommen?
   ihre Tante / sie / besuchen / .
10. Warum brauchst du ein Taxi?
   nachts / kein Bus / fahren / .

nach 4

**4 Welche Reaktion passt? Es gibt immer zwei Möglichkeiten.**

1. Wir müssen jetzt auch das Lager putzen.
   a) Das müssen wir zusammen besprechen.
   b) Ich war es nicht.
   c) Wissen die Kolleginnen das schon?

2. Die Musik ist zu laut.
   a) Warum?
   b) Entschuldigung, ich mache sie leiser.
   c) Wir feiern heute Kindergeburtstag.

3. Sie müssen bitte am Samstag arbeiten.
   a) Kann das nicht ein anderer Kollege machen?
      Mein Sohn hat Geburtstag.
   b) Ich brauche das Geld nicht.
   c) Wir haben da eine Familienfeier.

4. Sie sind schon wieder zu spät.
   a) Ich weiß, aber was kann ich machen?
   b) Entschuldigung, aber mein Bus war verspätet.
   c) Tut mir leid, aber mein Sohn musste zum Arzt.

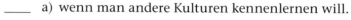
**5** Nebensätze mit *wenn* – Was passt zusammen?

1. Ich möchte zuerst die Sprache lernen,    ____    a) wenn man andere Kulturen kennenlernen will.

2. Wenn man viel liest und Radio hört,    ____    b) dann kannst du z.B. in einen Verein gehen.

3. Man muss viele Fragen stellen,    ____    c) wenn sie nicht zu teuer ist.

4. Wenn du Kontakt suchst,    ____    d) wenn es klingelt. Ich gehe schnell duschen.

5. Kannst du bitte die Spülmaschine
ausräumen,    ____    e) wenn du aus der Wohnung gehst?

6. Mach bitte die Tür auf,    ____    f) wenn ich in ein anderes Land komme.

7. Kannst du das Licht ausmachen,    ____    g) wenn sie fertig ist?

8. Ich miete die Wohnung,    ____    h) lernt man viel schneller.

**6** Schreiben Sie die *wenn*-Sätze und
markieren Sie die Verben.

1. Ich habe keine Lust zu arbeiten, wenn _ich nach Hause (komme_____.
kommen / ich / nach Hause.

2. Wenn _____, dann koche ich.
sauber machen / du / die Küche

3. Wenn _____, dann können wir ins Kino gehen.
keine Lust haben / zum Lernen / du

4. Hilfst du mir mit dem Formular, wenn _____?
ich / abwaschen

5. Ich ziehe aus, wenn _____.
sein / die Nachbarn / weiter / so laut

6. Die Deutschen sind meistens sehr pünktlich, wenn _____.
haben / sie / einen Termin

**7** In der E-Mail stehen sieben Verben falsch. Korrigieren Sie.

```
Sehr geehrte Familie Blau,
schreiben wir Ihnen diese E-Mail, weil wir den Lärm aus Ihrer Wohnung nicht mehr
aushalten.
Wir verstehen können, dass es in einer Beziehung mal Probleme gibt. Wir
können auch verstehen, wenn es einmal wird laut. Aber können wir nicht mehr
akzeptieren, dass Sie sich jeden Abend so laut streiten, dass wir und unsere
Kinder alles hören und nicht schlafen können.
Bitte Sie damit hören auf. Wenn das passiert nicht, dann müssen sprechen wir mit
der Hausverwaltung.
Mit freundlichen Grüßen
Karina Stiller
```

**8** *Wenn, weil, denn* oder *aber* (Wiederholung) – Ergänzen Sie die Sätze.

ANA NUNES

ROD PETERS

1. Ich mag Deutschland, _____ nicht das Klima.

2. Ich möchte nicht im Norden wohnen, _____ ich mag die Kälte nicht, _____ ich aus Brasilien komme.

3. Ich bin nicht glücklich, _____ es kalt und dunkel ist.

4. Ich möchte gern in einer Stadt wohnen, _____ ich gerne ins Kino oder in die Disco gehe, _____ da sind die Mieten zu hoch.

5. _____ meine Freundin nach Deutschland kommt, ziehen wir zusammen.

6. Ich habe schon eine Wohnung gefunden, _____ sie will nicht auf dem Dorf leben.

7. _____ sie nicht nach Deutschland will, dann bin ich traurig, _____ ich lebe nicht gern allein.

8. Vielleicht ziehe ich auch nach Brasilien, _____ ich sie liebe.

nach **7**

**9** **Was passt zusammen? Schreiben Sie die Dialoge.**

○ Aber ich war vor Ihnen da. • ○ Da vorne ist noch ein Platz frei. • ○ Können Sie mir bitte Ihre Reservierung zeigen? • ○ Sie müssen sich hier anstellen. • ○ Entschuldigung, das tut mir leid. • ○ Entschuldigung, ich habe das Schild nicht gesehen.

1. ● Stellen Sie sich bitte hinten an.
   ○ _____

2. ● Das ist mein Platz.
   ○ _____

3. ● Ich kann nicht mehr stehen. Mir ist nicht gut.
   ○ _____

4. ● Au! Passen Sie doch auf!
   ○ _____

5. ● Wo bekomme ich Eintrittskarten?
   ○ _____

6. ● Sie können hier nicht parken.
   ○ _____

# Die Wortschatz-Hitparade

## Nomen

die Angst, "-e _____

der Ärger _Sg._ _____

das Ausland _Sg._ _____

der/die Ausländer/in, –/-nen _____

die Bedingung, -en _____

die Figur, -en _____

das Gefühl, -e _____

das Gegenteil, -e _____

der Grund, "-e _____

die Heimat, -en _____

die Hoffnung, -en _____

die Integration, -en _____

der Krieg, -e _____

das Leben, – _____

die Liebe _Sg._ _____

der/die Migrant/in, -en/-nen _____

die Organisation, -en _____

der Rat _Sg._ _____

die Sorge, -n _____

das Vorurteil, -e _____

## Verben

achten (auf) _____

akzeptieren _____

anbieten _____

auffordern _____

begründen _____

behalten _____

sich beschweren _____

(sich) erinnern _____

(sich) gewöhnen _____

hoffen _____

mitarbeiten _____

riechen _____

teilen _____

verändern _____

vergessen _____

verlassen _____

vorbei sein _____

vorbereiten _____

vorschlagen _____

wegfahren _____

## Adjektive

einfach _____

froh _____

leicht _____

offen _____

stolz _____

traurig _____

typisch _____

zufrieden _____

## Andere Wörter

bis _____

damals _____

dann _____

innen _____

miteinander _____

nämlich _____

**10 Wörter thematisch**

**a** Notieren Sie Wörter und Ausdrücke zu diesen drei Themen:

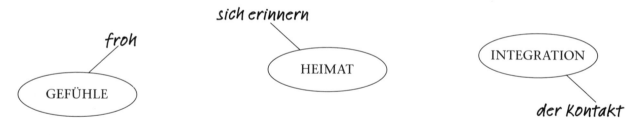

*sich erinnern*

*froh*

HEIMAT

INTEGRATION

GEFÜHLE

*der Kontakt*

**b** Schreiben Sie zu jedem Thema zwei Sätze. Verwenden Sie je zwei Wörter aus 10a.

**11 Wichtige Sätze und Ausdrücke – Schreiben Sie in Ihrer Sprache.**

Ich bin sehr zufrieden mit meiner Arbeit. _____

Leider kann ich morgen nicht. Tut mir leid. _____

Ich mache mir Sorgen, weil er nicht anruft. _____

Ich hoffe, ich schaffe den Test. _____

Wir fühlen uns hier wohl. _____

Ich habe Sie/dich leider nicht verstanden. _____

Können Sie das bitte wiederholen? _____

Können Sie das einfacher sagen? _____

Warum parken Sie hier? _____

Die Musik ist zu laut. _____

Das ist mein Platz! _____

Was soll ich machen? _____

Was denkst/meinst du? _____

Ich schlage vor, … _____

Wollen wir zusammen …? _____

Einverstanden. / Das ist eine gute Idee. _____

**12 Wichtige Wörter und Sätze für Sie – Schreiben Sie.**

Ihre Sprache:        Deutsch:

_____  _____

_____  _____

_____  _____

_____  _____

_____  _____

**13 Ich über mich**
Wie bekomme ich Kontakt? Wie kann ich Leute kennenlernen? Machen Sie eine Liste mit fünf Ideen.

# Schule und danach

nach **2**

**1** Schule und Beruf

**a Ergänzen Sie die Sätze.** 🚗↓

1. Mit vier Jahren kommt Martha Brink in den ___Kindergarten___ .

2. Zwei Jahre später geht sie in die ___Grundschule___ .

3. Nach vier Jahren melden ihre Eltern sie auf dem _____

   an, weil sie gute ___Noten___ hat.

4. Aber ab der 7. Klasse macht Martha die Schule keinen _____ mehr.

5. Nach der 10. Klasse verlässt sie die Schule und beginnt eine _____

   als Buchhalterin. Die _____ dauert drei Jahre.

6. Danach findet sie keine _____ , deshalb geht sie wieder zur Schule.

7. 2011 macht sie ihr _____ und studiert danach an einer _____ .

🚗 Noten • Ausbildung • Abitur • Spaß • Grundschule • Kindergarten • Gymnasium • Lehre • Stelle • Universität 🚗

**b Schreiben Sie den Text aus 1a in der Vergangenheit.**

> 1. Mit vier Jahren ist Martha Brink in den Kindergarten gekommen.
> 2. Zwei Jahre später ist ...

**2** Silbenrätsel – Sie können 12 Nomen zum Thema „Schule und Berufsausbildung" finden.

ver  ten  um  Gym

le  richt  A  si  U

bi  Grund  na

bend  schluss  le  ter  schu

ni  Aus  rufs  Ge

den  Kin

dung  si  schu  gar  A  Stun

tur  le

le  plan  Be  schu

Un  bil  Schul  ab  der

schu  tät  samt

_____

_____

_____

nach 3

**3** Nebensätze mit *dass* – Schreiben Sie Sätze.

1. dass / Peter / glaubst du, / in Berlin / besucht / seine Freundin / ?

   *Glaubst du, dass Peter seine Freundin in Berlin besucht?*

2. dass / es ist wichtig, / geht / man / regelmäßig zum Zahnarzt / .

   _2   (1)   5   3   4_____

3. beginnt / in der Zeitung steht, / dass / morgen der Schlussverkauf / .

   _4   1   2   3_____

4. dass / nicht in die Küche / der Schrank / ich glaube, / passt / .

   _2   4   3   1   5_____

5. Meisterprüfung / ich hoffe, / dass / Sabine / ihre / besteht / .

   _5   1   2   3   4   6 ._____

6. in Bielefeld oft / es stimmt, / dass / es / regnet / .

   _4   1   2   3   5 ._____

7. eine Wohnung im 3. Stock / dass / ich habe gehört, / frei wird / .

   _3   2   1   4_____

8. beginnen / hat gesagt, / dass / morgen ein Projekt / die Kursleiterin / wir / .

   _____

nach 6

**4** Verben: Präsens und Perfekt
Schreiben Sie die Verbformen wie im Beispiel. Markieren Sie beim Partizip II „ge" und die Endung.

| Infinitiv | 3. Person Singular | Perfekt |
|---|---|---|
| lesen | *er/sie liest* | *er/sie hat gelesen* |
| vorlesen | | |
| schreiben | | |
| abschreiben | | |
| kommen | | |
| machen | | |
| studieren | | |
| bleiben | | |
| gehen | | |
| nehmen | | |

**5  Perfekt – Schreiben Sie die Sätze.**

1. Ich arbeite als Kellner. — *Ich habe als Kellner gearbeitet.* _____ .
2. Machst du das gern? _____ .
3. Verdienst du gut? _____ .
4. Er geht in die Abendschule. _____ .
5. Martha bekommt ein Kind. _____ .
6. Wir verkaufen unser Auto. _____ .
7. Sie suchen eine Wohnung. _____ .
8. Ich bleibe in Köln. _____ .
9. Wir rufen euch an. _____ .
10. Er schreibt ihr eine E-Mail. _____ .

nach  **7**

**6  Zeitangaben – Welche Wörter passen in die Reihe? Ergänzen Sie.**

abends • Dienstag • Donnerstag • Freitag • gestern • heute • dieses Jahr • mittags • Mittwoch • diesen Monat • Montag • morgen • nachmittags • nachts • Samstag • übermorgen • ~~vormittags~~

morgens, *vormittags,* _____

(am) Sonntag, _____

vorgestern, _____

diese Woche, _____

**7  Zukunft ausdrücken: Zeitangabe + Präsens – Schreiben Sie die Sätze.**

①

essen / keine Schokolade mehr / ab morgen / !

③

schwimmen gehen / jeden Morgen / ab übermorgen / !

⑤

trinken / kein Bier mehr / ab Montag / !

⑦

lernen / jeden Tag 30 Minuten / ab heute / !

②

leer essen / nachts / den Kühlschrank nicht mehr / in Zukunft / !

④

fahren / viel Fahrrad / im Sommer / !

⑥

nicht vergessen / deinen Geburtstag / von jetzt an / !

⑧

gehen / zweimal im Jahr / zum Zahnarzt / ab jetzt / !

*1. Ab morgen esse ich keine Schokolade mehr!*

nach **8**

**8 Pläne und Wünsche**
**a Ergänzen Sie.**

Ⓐ Jana

Was ich nach der Schule mache? Ich gehe er___ ___ mal ein Ja___ ___ als
Au-pair-Mädchen na___ ___ Amerika und verbe___ ___ ___ ___ ___ mein Englisch.
Näch___ ___ ___ ___ Jahr fange i___ ___ eine Ausbildung z___ ___ Erzieherin an.
I___ ___ arbeite ger___ ___ mit Kindern. Vie___ ___ Eltern müssen arbe___ ___ ___ ___ und haben
nic___ ___ genug Ze___ ___ für ihre Kin___ ___ ___ .

Ⓑ Viktor

Nach der Schule habe ich eine Lehre als Fachinformatiker gem___ ___ ___ ___ .
In drei Woc___ ___ ___ beginnt die Abend___ ___ ___ ___ ___ ___ . Dort mache
i___ ___ in zwei Jah___ ___ ___ mein Abitur. I___ ___ hoffe, dass i___ ___ einen guten
Notendur___ ___ ___ ___ ___ ___ ___ ___ bekomme. Dann stud___ ___ ___ ___ ich Medizin
u___ ___ bin in ac___ ___ Jahren Arzt. We___ ___ ich nicht sof___ ___ ___ einen Studienplatz
bek___ ___ ___ ___ , jobbe ich e___ ___ paar Monate in d___ ___ Fabrik und re___ ___ ___
dann durch Afrika. Das ist mein Traum.

**b Ergänzen Sie die Wörter.**

Ⓒ Greta

gemacht • lerne • dem • beginne • ich • als • und • Im • Weiterbildung

Nach _____ Hauptschulabschluss habe _____ eine Lehre _____
und sechs Jahre _____ Köchin im Hotel gearbeitet. Jetzt _____
ich Englisch _____ habe in zwei Monaten meine Prüfung. _____ nächsten Jahr
_____ ich dann mit einer _____ zur Hotelkauffrau.

Ⓓ Thomas

länger • lange • Zukunft • Herbst • Hause • Deutsch • bald • erstes

Meine _____ ist klar: Ich muss _____ lernen, das ist das Wichtigste. Meine Frau ist schon _____ in Deutschland und spricht schon ganz
gut. Im _____ bekommen wir unser _____ Kind.  Als Lkw-Fahrer bin ich _____ von zu Hause weg. Deshalb mache ich _____
meinen Taxischein. Dann bin ich abends immer zu _____ .

**9 Zehn Komposita – Wie viele Wörter finden Sie?**

Gehaltsabrechnung • Arbeitszeit • Wochenende • Stellenanzeige • Schulabschluss • Kindergarten •
Computerkenntnisse • Hausaufgaben • Berufsausbildung • Stundenlohn

*das Gehalt, die Abrechnung, die Rechnung*

# Die Wortschatz-Hitparade

## Nomen

| | | | |
|---|---|---|---|
| das Abitur, -e | ~~degree~~ high school | die Kosten *Pl.* | |
| der Abschluss, "-e | degree | die Lehre, -n | |
| das Alter, – | age | die Meinung, -en | |
| der Anspruch, "-e | | die Note, -n | |
| der Beitrag, "-e | contribution | der Plan, "-e | |
| die Berufsausbildung, -en | ~~business~~ voc. tr. 2h. | die Prüfung, -en | |
| die Berufsschule, -n | voc. tr. sch | die Realschule, -n | |
| die Chance, -n | | das Recht, -e | |
| das Einkommen, – | | der Staat, -en | |
| die Entfernung, -en | | das Studium, Studien | |
| die Gesamtschule, -n | | das Tempo, -s | |
| das Gymnasium, Gymnasien | | die Überschrift, -en | |
| die Hauptschule, -n | | der Unterschied, -e | |
| der Junge, -n | | die Weiterbildung, -en | |

## Verben

| | | | |
|---|---|---|---|
| aufnehmen | | fordern | |
| aussuchen | | gründen | |
| bauen | | jobben | |
| behindern | | nachholen | |
| berechnen | | schaffen | |
| bestimmen | to determine | übernehmen | |
| enden | | verbessern | |
| fördern | | weiterbilden | |

## Adjektive

| | | | |
|---|---|---|---|
| abhängig | | sozial | |
| berufstätig | | staatlich | |
| breit | | städtisch | |
| flexibel | | unterschiedlich | |
| kostenlos | | verschieden | |
| regional | | zusätzlich | |

## Andere Wörter

| | | | |
|---|---|---|---|
| bereits | | je … desto | |
| dagegen | | seitdem | |

**10** Ergänzen Sie die Sätze mit Wörtern aus der Hitparade.

1. Zuerst möchte ich das _____*Abitur*_____ machen und danach ein _____ beginnen.

2. Tassilo macht eine _____ in einem Betrieb.

3. Mein Computerkurs ist bald fertig. Nächste Woche mache ich die _____ .

4. Rolf möchte mehr _____ haben, deshalb will er sich weiterbilden.

5. In manchen Fällen _____ der Arbeitgeber die Kosten für eine Weiterbildung.

6. Tamara möchte als Au-pair in Deutschland ihre Sprachkenntnisse _____ .

7. Ich hoffe, dass ich die Tests _____ . Ich habe viel gelernt, aber ich bin nervös.

8. Ich war zwei Wochen nicht im Kurs und muss jetzt viel _____ .

**11** Welches Adjektiv aus der Hitparade passt dazu? Ergänzen Sie.

| | | | |
|---|---|---|---|
| privat | *staatlich* | dörflich | _____ |
| eng | _____ | unsozial | _____ |
| unflexibel | _____ | global | _____ |
| gleich | _____ | teuer | _____ |

**12** Wichtige Sätze und Ausdrücke – Schreiben Sie in Ihrer Sprache.

Haben Sie in Ihrem Heimatland eine Ausbildung gemacht? _____

Welchen Schulabschluss haben Sie? _____

Haben Sie ein Abschlusszeugnis? _____

Das ist ungefähr wie in Deutschland das Abitur. _____

Ich finde, dass 12 Jahre Schule zu wenig sind. _____

Ich meine/glaube, dass eine Ausbildung wichtig ist. _____

Ich hoffe, dass ich den Abschluss schaffe. _____

Ich habe gehört, dass die Schule sehr schwer ist. _____

**13** Wichtige Wörter und Sätze für Sie – Schreiben Sie.

Ihre Sprache:                                         Deutsch:

_____                    _____

_____                    _____

_____                    _____

_____                    _____

_____                    _____

**14** Ich über mich – Drei Dinge, die ich in meinem Leben schon gelernt habe, und drei, die ich lernen möchte. Schreiben Sie einen kurzen Text wie im Beispiel.

> *Ich habe meine Muttersprache sprechen, lesen und schreiben gelernt. Ich habe ... .*
> *Ich möchte noch einen Beruf lernen: ... . Dann will ich Autofahren lernen. ...*

# Die neue Wohnung

nach **2**

**1** **Das große Wohnungsrätsel**

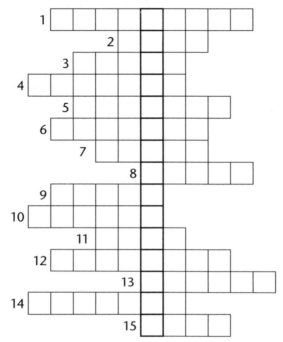

**Waagerecht:**

1. Ich dusche jeden Tag, aber samstags lege ich mich in die …
2. Es steht im Wohnzimmer. Man kann darauf liegen.
3. Darauf sitzen Sie vielleicht gerade.
4. In Deutschland hängen sie meistens am Fenster. *(Pl.)*
5. Mir ist kalt. Mach mal bitte die … an.
6. Er liegt auf dem Boden.
7. Sie gibt Licht.
8. Für die Wohnung muss man … und Nebenkosten bezahlen.
9. Ich hätte gerne eine … Kaffee mit Milch und Zucker.
10. Man legt das Essen darauf.
11. Darin schläft man.
12. Er steht oft in der Küche, man sitzt daran beim Essen.
13. Darin kann man gemütlich sitzen.
14. Messer, Gabel und Löffel sind das …
15. Man braucht ihn zum Kochen und Backen.

**Senkrecht:**
Er steht im selben Zimmer wie Nr. 2 und Nr. 13.

nach **3**

## 2 Eine E-Mail – Ergänzen Sie die fehlenden Elemente.

Die haben wir • beim Lernen • ist es so weit • Vielleicht kommt sie • nächste Woche • an der Wand
steht • an die • ein paar • rechts neben das • wirklich schön

---

Liebe Magda,

endlich _____ ____ _____ _____ . Seit zwei Wochen haben Tom und ich die

neue Wohnung und ich bin gestern eingezogen. Jetzt renovieren wir das

Wohnzimmer und Tom zieht _____ _____ ein. Mein Zimmer hat ca.

18 qm und ist _____ _____ .

Ich habe mein Bett _____ _____ Wand gestellt und davor steht

ein kleiner Tisch. Den Schreibtisch habe ich _____ _____

Fenster gestellt. So habe ich immer viel Licht _____ . Auf dem

Schreibtisch steht mein Computer. Links _____ ein Regal.

In das Regal stelle ich meinen CD-Player und _____ Bücher.

Zuerst habe ich gar keinen Teppich auf den Boden gelegt, aber dann hat mir

die Vermieterin einen geschenkt. Sie sagt, man hört die Schritte zu laut, wenn

kein Teppich auf dem Boden liegt. (Ach ja!!!)

Tom hat eine Waschmaschine gekauft. Gebraucht natürlich! _____

_____ in die Küche gestellt. _____ _____ später ins Bad.

---

nach **4**

## 3 Präpositionen – Schreiben Sie die Präpositionen zu den Bildern.

_____  _____  _____  _____  _____  _____  _____  _____

## 4 Markieren Sie die passenden Präpositionen.

1. Stellen Sie bitte den Sessel ins/ans/aufs Wohnzimmer.
2. Das Esszimmer ist vor/nach/zwischen dem Wohnzimmer und der Küche.
3. Die Toilette ist am/im/in Bad.
4. Fährst du das Auto bitte in/auf/unter die Garage?
5. Der Möbelwagen steht an/vor/in der Tür.
6. Dein Mantel hängt zwischen/unter/im Schrank.
7. Ich habe dein Buch auf/an/zwischen den Esstisch gelegt.
8. Leg dich auf/in/gegen das Sofa und ruh dich aus.
9. Am liebsten sitze ich unter/an/in meinem Sessel und höre Musik.
10. Schau doch bitte mal unter/an/gegen das Sofa. Ich glaube, da ist meine Brille.

**5** **Ergänzen Sie die Präpositionen.**

1. Das Buch liegt ___*auf*___ dem Tisch. Stell es bitte _____ das Regal.

2. Mein Hund liegt am liebsten _____ dem Tisch.

3. Der Herd steht _____ dem Kühlschrank und der Spülmaschine.

4. Die Waschmaschine steht rechts _____ dem Kühlschrank.

5. Das Bild hängt _____ meinem Schreibtisch _____ der Wand.

**6** **Ergänzen Sie die Verben.** 🔊 ↓

1. Mein Schrank ___*steht*___ rechts an der Wand.

2. _____ Sie den Kühlschrank bitte in die Küche.

3. ● Hast du meine Brille auf den Schreibtisch _____?

   ○ Ja, sie _____ neben dem Computer.

4. ● _____ Sie sich doch hier auf die Couch.

   ○ Nein, ich _____ lieber auf einem Stuhl.

5. Sie können Ihre Jacke hier an die Garderobe _____.

6. Dein Bild _____ in meinem Wohnzimmer an der Wand.

🔊 stellen • legen • setzen • hängen • hängen • stehen • liegen • sitzen

nach **5**

**7** **Adjektive aus *Berliner Platz NEU* (Wiederholung) – Wie viele Gegensatzpaare finden Sie?**

alt – jung, alt – neu

nach 7

**8 Konjugation von *werden* und *haben* – Ergänzen Sie die Tabelle.**

|  | Präsens | Präteritum | Konjunktiv II | Präsens | Präteritum | Konjunktiv II |
|---|---|---|---|---|---|---|
| ich | werde | wurde | würde | habe | hatte | hätte |
| du |  |  |  |  |  |  |
| er/es/sie/man |  |  |  |  |  |  |
| wir |  |  |  |  |  |  |
| ihr |  |  |  |  |  |  |
| sie/Sie |  |  |  |  |  |  |

**9 Wünsche**

**a Schreiben Sie die Sätze als Wünsche wie im Beispiel.**

1. Ich fahre nach Rom. — *Ich würde gern nach Rom fahren.*

2. Er wohnt in Berlin. _____

3. Wir laden euch ein. _____

4. Sie kaufen eine Wohnung. _____

5. Kaufst du den Teppich? _____

6. Verkauft ihr euer Auto? _____

7. Sie heiratet. _____

8. Er grillt am Wochenende. _____

**b Schreiben Sie die Sätze als Wünsche wie im Beispiel.**

1. Ich habe ein Haus. — *Ich hätte gern ein Haus.*

2. Er hat ein Fahrrad. _____

3. Wir haben Kinder. _____

4. Sie haben viele Freunde. _____

5. Wir haben Spaß beim Lernen. _____

6. Sie hat keine Angst vor Prüfungen. _____

7. Hast du viel Zeit für dich? _____

8. Habt ihr Arbeit? _____

# Die Wortschatz-Hitparade

## Nomen

die Beschreibung, -en _____

das Besteck, -e _____

der Boden, "– _____

der Eimer, – _____

die Einrichtung, -en _____

die Form, -en _____

die Gabel, -n _____

das Gerät, -e _____

das Geschirr *Sg.* _____

der Geschmack, "-e _____

der Heimwerker, – _____

die Heimwerkerin, -nen _____

das Loch, "-er _____

der Löffel, – _____

die Maus, "-e _____

das Messer, – _____

der Pinsel, – _____

der Raum, "-e _____

das Regal, -e _____

der Rest, -e _____

der Schritt, -e _____

der Sessel, – _____

das Sofa, -s _____

die Stehlampe, -n _____

die Tapete, -n _____

die Tasse, -n _____

der Teller, – _____

der Teppich, -e _____

der Vorhang, "-e _____

das Waschbecken, – _____

## Verben

abmachen _____

aufbewahren _____

befestigen _____

bohren _____

einrichten _____

einschalten _____

gewinnen _____

hängen _____

kleben _____

schützen _____

setzen _____

springen _____

streichen _____

tapezieren _____

## Adjektive

altmodisch _____

dunkel _____

gemütlich _____

hässlich _____

ordentlich _____

voll _____

## Andere Wörter

davor _____

genau _____

mitten _____

nahe _____

**10** Was passt wo? Ergänzen Sie die Wörter und schreiben Sie dann Wörter für Einrichtungs-
gegenstände zum Grundriss.

W__ __ nz__ __ __ __r

Sc__ __ __ __z__ __ __ __r

Ar__ __ __ __ __z__ __ __ __r

Kü __ __ __

B __ __/To__ __ __ __ __ __

*die Badewanne*

**11** Wichtige Sätze und Ausdrücke – Schreiben Sie in Ihrer Sprache.

Die Wohnung ist (nicht) groß.   _____

Die Wohnung hat 45 qm.   _____

Das Bett steht links an der Wand.   _____

Meinen Tisch habe ich ans Fenster gestellt.   _____

Wie gefällt dir mein Sofa?   _____

Ich finde es sehr schön / ganz gut.   _____

Der Sessel gefällt mir nicht so sehr.   _____

Ich hätte gerne ein Haus.   _____

Wir würden gern auf dem Land wohnen.   _____

Mein Freund würde lieber weniger arbeiten.   _____

**12** Wichtige Wörter und Sätze für Sie – Schreiben Sie.

Ihre Sprache:                           Deutsch:

_____        _____

_____        _____

_____        _____

_____        _____

_____        _____

**13** Ich über mich
**Zehn Wünsche – Machen Sie eine Liste**

nach 2

**1** Wie heißen die Wörter? Ergänzen Sie.

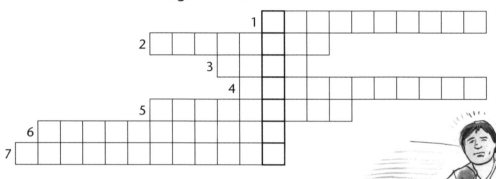

**Waagerecht:**

1. Auf dem Parkplatz muss man einen … ziehen.
2. Wann fährt der nächste Bus? Ich weiß nicht, schau mal auf den …
3. Nachmittags um 5 Uhr ist in der Stadt immer …
4. Wie viele .. hast du in diesem Monat bekommen?
5. Tom wartet auf dem …, bei Gleis 3.
6. Im April kaufe ich mir eine neue Jah…
7. Mit 18 Jahren kann man in Deutschland den … machen.

**Senkrecht:**

Sein Fahrrad hat einen …

**2** Was passt nicht?

1. das Fahrrad: kaufen / fahren / tanken / leihen
2. einen Parkplatz: suchen / finden / gehen / haben
3. einen Strafzettel: bekommen / verlieren / benutzen / bezahlen
4. an der Haltestelle: einsteigen / umsteigen / fahren / warten
5. den Führerschein: machen / haben / kaufen / verlieren
6. an der Kreuzung: abbiegen / anhalten / erreichen / bremsen
7. den Fahrplan: fahren / kennen / lesen / kaufen
8. einen Helm: tragen / kaufen / haben / kennen
9. an der Tankstelle: machen / einkaufen / warten / tanken
10. den Radweg: kennen / anhalten / benutzen / fahren

### 3 Mobilität

**a Schreiben Sie die Sätze in der Vergangenheit.**

1. Natürlich haben wir ein Auto und das ist auch sehr bequem.
2. Aber in die Stadt fahre ich nur mit öffentlichen Verkehrsmitteln.
3. Mit dem Auto muss ich einen Parkplatz suchen und bekomme oft Strafzettel!
4. Nach der Arbeit stehe ich mindestens eine halbe Stunde im Stau.
5. Die hohen Benzinkosten stören mich am meisten.
6. Das Auto steht fast immer in der Garage.
7. Bei schlechtem Wetter nehme ich die Straßenbahn oder ich bleibe zu Hause.
8. Nur größere Einkäufe mache ich mit dem Auto.

> *1. Natürlich hatten ...*

**b Ergänzen Sie den Text.**

Vor 30 Jahren habe ich zwar meinen Führerschein gemacht, aber Auto f___ ___ ___ ___ ich n___ ___. Früher ha___ ___ ___ ich ke___ ___ Geld f___ ___ ein Au___ ___. Deshalb b___ ___ ich im___ ___ ___ mit d___ ___ Fahrrad gefa___ ___ ___ ___. Und je___ ___ ___ habe i___ ___ mich da___ ___ ___ gewöhnt. I___ ___ bin fa___ ___ 50 Jahre a___ ___ und wi___ ___ fit ble___ ___ ___ ___. Auch des___ ___ ___ ___ fahre i___ ___ immer Fah___ ___ ___ ___. Morgens fa___ ___ ___ ich da___ ___ ___ zur Arb___ ___ ___, danach ge___ ___ ich eink___ ___ ___ ___ ___.

**c Ergänzen Sie die Sätze.**

Führerschein • Arbeitsplatz • Land • wir • bequem • Wohnort • Tochter • Eltern • Frau • alt • will • Monaten • unabhängig • kaufen • mit • Auto • Arztbesuche

Meine ___ ___ ___ ___ und ich wohnen mit unserer ___ ___ ___ ___ ___ ___ ___ Meike und meinen ___ ___ ___ ___ ___ ___ ___ in einem Haus auf dem ___ ___ ___ ___. Bis jetzt haben ___ ___ ___ drei Autos, aber in zwei ___ ___ ___ ___ ___ ___ ___ macht Meike ihren ___ ___ ___ ___ ___ ___ ___ ___ ___ ___ ___ ___ ___ und dann ___ ___ ___ ___ sie sich sofort ein gebrauchtes Auto ___ ___ ___ ___ ___. Es kann ___ ___ ___ sein. Hauptsache, es fährt. Mein ___ ___ ___ ___ ___ ___ ___ ___ ___ ___ ___ ist fast 20 km von meinem ___ ___ ___ ___ ___ ___ ___ entfernt, deshalb brauche ich ein ___ ___ ___ ___ und meine Frau will ___ ___ ___ ___ ___ ___ ___ ___ ___ ___ sein. Meine Eltern finden ein Auto einfach ___ ___ ___ ___ ___ ___. Einkaufen, ___ ___ ___ ___ ___ ___ ___ ___ ___, Bekannte besuchen – das ist ___ ___ ___ dem Auto am einfachsten.

**4  Wiederholung:** *wenn*-Sätze – Schreiben Sie.

1. Mehmet: abends Kaffee trinken      nicht schlafen können
2. Heidi: morgens nicht duschen       nicht wach werden
3. Axel: Urlaub haben                 viele Bücher lesen
4. Margot und Frank: einkaufen müssen  Fahrrad benutzen
5. Ich: die Prüfung gut schaffen      zufrieden sein
6. Wir: zusammen ein Fest machen      Essen und Trinken organisieren müssen
7. Du: lange arbeiten                 genug Pausen machen müssen
8. Olga: Geburtstag haben             Fest machen

> 1.  *Wenn Mehmet abends Kaffee trinkt, kann er nicht schlafen.*
>    *Mehmet kann nicht schlafen, wenn er abends Kaffee trinkt.*

**5  *Deshalb* oder *weil* – Markieren Sie die Verben und ergänzen Sie.**

1. Sie kauft sich ein neues Kleid, _____*weil*_____ sie zu einer Hochzeit geht.

2. Er möchte in Deutschland arbeiten, _____ besucht er einen Deutschkurs.

3. Sie zieht in eine andere Stadt, _____ sie eine neue Arbeitsstelle gefunden hat.

4. Sie treffen sich im Sportverein, _____ sie gerne Fußball spielen.

5. Er bewirbt sich auf eine Stelle, _____ schreibt er einen Lebenslauf.

6. Er möchte das Abitur machen, _____ geht er aufs Abendgymnasium.

7. Sie steht immer früh auf, _____ sie dann am besten arbeiten kann.

8. Sie ist arbeitslos, _____ fährt sie in diesem Jahr nicht in Urlaub.

**6  Autowortschatz – Wie viele Wörter können Sie aus den Silben bilden? Notieren Sie die Nomen mit Artikel.**

tor  mit  ren  Frost  lie  wi  sel  ben  tel
Brem  trol  rie  Mo  Bat  fen  Schei  fül  wech
Öl  scher  len  te  voll  Schei  sen  wech
ken  Rei  schutz  kon  tan  nach

> *das Frostschutzmittel*

**7  Verb *werden* im Präsens und Präteritum (Wiederholung) – Ergänzen Sie die Tabelle**

| ich | werde | wurde |
|---|---|---|
| du | wirst | |
| er/es/sie/man | | |
| wir | | |
| ihr | werdet | |
| sie/Sie | | |

**8 Passiv: Präsens und Präteritum**
**a Ergänzen Sie die Sätze.**

Frühjahrsputz

1. Der Teppich _wird/w_____ (saugen).

2. Die Fenster _____ (putzen).

3. Die Schränke _____ (aufräumen).

4. Die Bücher _____ (ordnen).

5. Die Küche _____ (streichen).

6. Die Sommerkleider _____ (reinigen).

**b Schreiben Sie die Sätze im Passiv wie im Beispiel.**

Tomatensoße

1. Man wäscht die Tomaten und Zwiebeln.　　*Die Tomaten und Zwiebeln werden gewaschen.*

2. Man gießt heißes Wasser über die Tomaten. _____

3. Man schält die Tomaten und die Zwiebeln. _____

4. Man schneidet alles klein. _____

5. Man macht Öl in einem Topf heiß. _____

6. Man gibt Tomaten, Zwiebeln, Salz,
   Pfeffer usw. in den Topf. _____

7. Man gibt Wasser dazu. _____

8. Man kocht die Soße 20 Minuten. _____

nach **8**

**9 Das Verb *lassen* – Ergänzen Sie die Tabelle und schreiben Sie die Sätze 1–8.**

| Infinitiv | lassen |
|---|---|
| ich | |
| du | |
| er/es/sie/man | |
| wir | |
| ihr | lasst |
| sie/Sie | |

1. Rolf / seine Mutter / das Frühstück / machen / lassen / .
2. Er / seinen Freund / seine Hausaufgaben / machen / lassen / .
3. Rolfs Schwester / ihre Kleider / von einer Tante / nähen / lassen / .
4. Ich / mein Motorrad / in der Werkstatt / reparieren / lassen / .
5. Wo / du / deine Wäsche / waschen / lassen / ?
6. Ich / meine Wäsche / nicht waschen / lassen / . Ich wasche selbst.
7. Wir / unsere Kinder / unsere Wohnung / renovieren / lassen / .
8. Lassen / ihr / eure / Wohnung / auch / renovieren / ?

*1. Rolf lässt seine Mutter das Frühstück machen.*

# Die Wortschatz-Hitparade

## Nomen

| | | | |
|---|---|---|---|
| der Bahnsteig, -e | _____ | der Nachteil, -e | _____ |
| die Batterie, -n | _____ | das Parkhaus, "-er | _____ |
| die Baustelle, -n | _____ | der Pkw, -s | _____ |
| das Benzin *Sg.* | _____ | der Radweg, -e | _____ |
| die Bremse, -n | _____ | die Rechnung, -en | _____ |
| das Fahrzeug, -e | _____ | der Reifen, – | _____ |
| der/die Fußgänger/in, –/-nen | _____ | der Stau, -s | _____ |
| der Gehweg, -e | _____ | der Strafzettel, – | _____ |
| die Hauptsache, -n | _____ | die Umleitung, -en | _____ |
| die Konsequenz, -en | _____ | das Verhalten *Sg.* | _____ |
| das Kraftfahrzeug, -e | _____ | das Verkehrsmittel, – | _____ |
| der Lastwagen, – | _____ | das Verkehrszeichen, – | _____ |
| der Motor, -en | _____ | die Ware, -n | _____ |
| das Motorrad, "-er | _____ | die Werkstatt, "-en | _____ |

## Verben

| | | | |
|---|---|---|---|
| abbiegen | _____ | prüfen | _____ |
| beobachten | _____ | recht haben | _____ |
| bremsen | _____ | retten | _____ |
| einstellen | _____ | tanken | _____ |
| herrschen | _____ | überholen | _____ |
| lassen | _____ | überprüfen | _____ |
| liefern | _____ | sich verhalten | _____ |

## Adjektive

| | | | |
|---|---|---|---|
| gefährlich | _____ | unabhängig | _____ |
| gründlich | _____ | unachtsam | _____ |
| häufig | _____ | unbekannt | _____ |
| öffentlich | _____ | vorsichtig | _____ |

## Andere Wörter

| | | | |
|---|---|---|---|
| daran | _____ | ziemlich | _____ |
| entfernt | _____ | zwar | _____ |

**10** Im Rätsel sind 15 Wörter versteckt (Nomen und Verben). Die Wörter passen zu 1–15.

| | | | | | | | | | | | | |
|---|---|---|---|---|---|---|---|---|---|---|---|---|
| P | X | B | A | T | T | E | R | I | E | P | P | Y |
| A | W | A | S | S | E | R | M | W | H | H | V | B |
| R | T | A | N | K | E | N | D | Q | U | K | A | E |
| K | F | Ü | H | R | E | R | S | C | H | E | I | N |
| E | N | L | U | R | E | I | N | I | G | E | N | Z |
| N | W | W | R | E | I | F | E | N | P | D | T | I |
| K | O | N | T | R | O | L | L | I | E | R | E | N |
| Y | U | W | E | C | H | S | E | L | N | I | B | T |
| U | Q | X | R | E | C | H | N | U | N | G | S | S |
| Q | M | P | Ü | B | E | R | P | R | Ü | F | E | N |
| K | C | J | T | A | N | K | S | T | E | L | L | E |
| M | O | T | O | R | M | O | T | O | R | R | A | D |

1. Können Sie mein Auto bitte innen und außen …
2. Man muss das Öl immer mal wieder …
3. Für die Inspektion habe ich eine hohe … bekommen: 800 Euro!
4. Ich muss zur … Mein Tank ist leer.
5. Es ist schon November, ich muss die Winter… draufmachen.
6. Du musst die Scheibenwischer … lassen. Du siehst ja bei Regen nichts.
7. Wenn die … nicht mehr geht, dann hat das Auto keinen Strom und fährt nicht.
8. Bitte voll…!
9. Der … hat ein Problem. Das Auto fährt nicht mehr richtig.
10. Ich habe in der Werkstatt alles … lassen und jetzt fährt er nicht mehr! So ein Mist!
11. Haben Sie auch das … nachgefüllt?
12. Sie dürfen hier nicht … Hier ist Parkverbot.
13. Autos fahren heute mit …, Diesel, Gas, Alkohol, Strom oder Wasserstoff.
14. Im Sommer fahre ich lieber mit meinem … als mit dem Auto.
15. Kannst du bitte fahren? Ich habe meinen … vergessen.

**11** Wichtige Sätze und Ausdrücke – Schreiben Sie in Ihrer Sprache.

Wo kann ich parken / das Fahrrad abstellen? _____

Wie lange darf man hier parken? _____

Kannst du mir dein Fahrrad/Auto leihen? _____

Kannst du mich mitnehmen? _____

Ich möchte nichts trinken, ich muss noch fahren. _____

Wann fährt die letzte Straßenbahn/U-Bahn? _____

Gibt es einen Nachtbus? _____

Wann fährt der Nachtbus? _____

**12** Wichtige Wörter und Sätze für Sie – Schreiben Sie.

Ihre Sprache:           Deutsch:

_____     _____

_____     _____

_____     _____

_____     _____

_____     _____

**13** Ich über mich

Fahrrad, Auto, Bus … – Was benutze ich wann? Was möchte ich gern ändern? Schreiben Sie.

Ich fahre immer mit dem Bus zum Kurs. Ich möchte lieber mit dem Fahrrad fahren, aber …

# Das finde ich schön

**1** Wortschatz wiederholen – Wie viele Wörter fallen Ihnen ein? Schreiben Sie sie zu den Bildern. Vergleichen Sie im Kurs.

die Küche,
hell/...

der Kopf

der Rucksack
tragen

**2** Ergänzen Sie den Text.

Ich mag schöne Kleider. Das ist wic___ ___ ___ ___ für mi___ ___. Meine Freundin h___ ___ mir m___ ___ eine intere ___ ___ ___ ___ ___ Farbberatung gesc___ ___ ___ ___ ___: „Welcher Far___ ___ ___ ___ sind S___ ___?" Meine Lieblin___ ___ ___ ___ ___ ___ ___ ___ sind Bl___ ___ und Gr___ ___, aber d___ ___ passen ni___ ___ ___ zu m___ ___. Zu m___ ___ passen war___ ___ Farben: R___ ___, Orange, Ge___ ___, Braun, Be___ ___ ___, auch e___ ___ warmes Bl___ ___. Manchmal tr___ ___ ___ ich au___ ___ etwas Schwa___ ___ ___ ___, das pa___ ___ ___ immer. Ei___ ___ ___ hellblauen Pull___ ___ ___ ___ oder ei___ ___ grüne Bl___ ___ ___ kann i___ ___ nicht tra___ ___ ___. Damit se___ ___ ich a___ ___ und kr___ ___ ___ aus.

I___ ___ kaufe m___ ___ nicht vi___ ___ Kleidung, ab___ ___ die Sac___ ___ ___ müssen m___ ___ hundertprozentig gefa___ ___ ___ ___. Wenn i___ ___ schön ange___ ___ ___ ___ ___ bin, fü___ ___ ___ ich mi___ ___ wohl. Das macht mich glücklich.

nach 2

**3 Adjektivendungen – Ergänzen Sie die Endungen, wo das notwendig ist.**

1. Das ist mein___ neu*er*___ Pullover.

2. Ich mag mein____ neu____ Pullover.

3. Ich träume von ein____ neu____ Pullover.

4. Das ist mein____ kurz____ Kleid.

5. Ich mag mein____ kurz____ Kleid.

6. Ich träume von ein____ kurz____ Kleid.

7. Das ist mein____ schick____ Hose

8. Ich mag mein____ schick____ Hose.

9. Ich träume von ein___ schick___ Hose.

10. Das sind mein____ rot____ Schuhe.

11. Ich mag mein____ rot____ Schuhe.

12. Ich träume von mein____ rot____ Schuhen.

**4 Schreiben Sie die Sätze wie im Beispiel.**

1. Die Pizza ist ausgezeichnet.
2. Der Wein ist sehr gut.
3. Das Restaurant ist günstig.
4. Das Fleisch ist sehr zart.

5. Der Arbeitsplatz ist sicher.
6. Die Arbeit ist sehr anstrengend.
7. Das Stellenangebot ist interessant.
8. Der Chef ist sehr sympathisch.

*1. Das ist eine ausgezeichnete Pizza.*

**5 Schreiben Sie Fragen wie im Beispiel.**

1. Beruf / interessant / haben / Sie / ein / ?
2. Tag / anstrengend / haben / Olga / ein / ?
3. Computer / neu / haben / Sie / ein / ?
4. Zeitungen / deutsch / lesen / Mehmet / ?
5. Prüfung / wichtig / machen / Sie / ein / ?

6. tragen / du / weiß / Bluse / dein / zur Party / ?
7. gefallen / dir / bunt / Rock / mein / ?
8. Restaurant / französisch / kennen / du / ein / ?
9. Kartoffeln / holländisch / essen / ihr / ?
10. Kaffee / schwarz / möchten / ihr / ein / ?

*1. Haben Sie einen interessanten Beruf? 2. Hat Olga ...*

**6** **Beantworten Sie die Fragen wie im Beispiel.**

1. Was für eine Wohnung habt ihr gemietet? (sehr schön – mit Balkon)
*Eine sehr schöne mit Balkon.* _____

2. Was für einen Tisch habt ihr gekauft? (groß – rund für 6 Personen)
_____

3. Was für ein Teppich liegt bei euch im Flur? (lang – rot)
_____

4. Was für eine Zeitung liest du am Wochenende? (englisch – die kaufe ich am Bahnhof)
_____

5. Was für einen Tee magst du am liebsten? (schwarz – mit ganz viel Zucker)
_____

6. Was für ein Fahrrad hast du? (alt – rot)
_____

7. Was für einen Anzug ziehst du morgen an? (mein – blau – mit den Streifen)
_____

8. Was für ein Tuch hast du ausgesucht? (blau – mit gelb – Punkten)
_____

9. Was für eine Jacke nimmst du mit? (mein – warm – dick – Winterjacke)
_____

nach **4**

**7** **Notieren Sie jeweils zwei passende Adjektive.**

schön  deutsch  alt  klein
billig  interessant  lang  lieb
teuer  rot  wichtig  groß

1. eine *großelalte* _____ Liebe
2. eine _____ Freundschaft
3. eine _____ Familie
4. eine _____ Tante
5. ein _____ Restaurant
6. ein _____ Wein
7. ein _____ Kinofilm
8. eine _____ Wohnung
9. eine _____ Verabredung
10. eine _____ Ausbildung

**8** **Welche Eigenschaften passen zu den Gegenständen und Personen in 1–10?**
**Notieren Sie je vier Möglichkeiten.**

langweilig   fröhlich
schick   schnell
leicht   unmodisch   eckig   interessant   warm   teuer
neu   sportlich   verheiratet   modisch   pünktlich
heiß   gemustert   rot   stressig
billig   kritisch   groß   glücklich   schön
modern   gemütlich   kreativ   schwierig   grün
sauber   toll   kalt   gesund   toll
schwarz   müde   rund
hart   günstig   gesund   sicher
praktisch   einfach   möbliert   arbeitslos
interessant   geschieden   anstrengend   wichtig
berühmt   sympathisch

1. Tomate:     *rot, rund ...* _____
2. Hut:        _____
3. Fahrrad:    _____
4. Bett:       _____
5. Wohnung:    _____
6. Lehrer/in:  _____
7. Arbeit:     _____
8. Kaffee:     _____
9. Buch:       _____
10. Kursnachbar/in: _____

nach **6**

**9** **Modefragen – Ordnen Sie 1–6 und a–f zu.**

1. Interessierst du      ___ a) auf dein Aussehen?
2. Was tust du           ___ b) brauchst du morgens im Bad?
3. Achtest du            ___ c) dich für Mode?
4. Wie viel gibst du     ___ d) für dein Aussehen?
5. Wie viel Zeit         ___ e) gerne aussehen?
6. Wie würdest du        ___ f) pro Monat für Kleidung aus?

**10** **Präpositionen mit Akkusativ – Schreiben Sie die Sätze mit *für* oder *ohne*.**

1. bezahlen / du / (?) dein... Wohnung / wie viel / ?   *Wie viel bezahlst du für ...* _____
2. Die Wohnung / (?) Zentralheizung / sein / .   _____
3. können / ich / nicht / arbeiten / (?) mein... Computer.   _____
4. (?) mein... Job / brauchen / das Internet / ich / .   _____
5. gehen / nie / Sonja / aus dem Haus / (?) ihr... Handy/.   _____
6. (?) mein... Freund / kaufe / Parfüm / ich / .   _____

# Die Wortschatz-Hitparade

## Nomen

der/die Auszubildende, -n _____

der Blumenstrauß, "-e _____

die Decke, -n _____

der Enkel, – _____

die Enkelin, -nen _____

der Friseur, -e _____

die Friseurin, -nen _____

die Frisur, -en _____

das Hobby, -s _____

der Humor *Sg.* _____

das Interesse, -n _____

der Kleiderschrank, "-e _____

das Kompliment, -e _____

die Kosmetik *Sg.* _____

der Lippenstift, -e _____

das Make-up, -s _____

die Mode, -n _____

die Modezeitschrift, -en _____

der Mut *Sg.* _____

die Persönlichkeit, -en _____

die Schönheit, -en _____

der Unternehmer, – _____

die Unternehmerin, -nen _____

die Werbung, -en _____

## Verben

ausgeben _____

bedeuten _____

besorgen _____

erhalten _____

(sich) erinnern _____

hinstellen _____

(sich) interessieren _____

lieben _____

schminken _____

shoppen _____

## Adjektive

aktuell _____

besonderer/-es/-e _____

blond _____

eckig _____

erfolgreich _____

ernst _____

furchtbar _____

gemustert _____

glatt _____

hellblau _____

intelligent _____

konservativ _____

lockig _____

männlich _____

modisch _____

neugierig _____

perfekt _____

reich _____

romantisch _____

schick _____

sportlich _____

sympathisch _____

weiblich _____

wunderschön _____

**11 Wortschatz erweitern – Welche Adjektive aus der Hitparade passen zu diesen hier?**

| | | | |
|---|---|---|---|
| rund | _____ | unsportlich | _____ |
| dumm | _____ | weiblich | _____ |
| erfolglos | _____ | fehlerhaft | _____ |
| dunkelblau | _____ | unsympathisch | _____ |
| furchtbar | _____ | progressiv | _____ |
| fröhlich | _____ | arm | _____ |

**12 Wichtige Sätze und Ausdrücke – Schreiben Sie in Ihrer Sprache.**

Anja Meier ist schlank und groß. _____

Er ist nett und freundlich. _____

Das finde ich schön. _____

Dein Mantel gefällt mir. _____

Der Rock steht dir gut. _____

Aussehen ist für mich wichtig. _____

Ich benutze nie Make-up. _____

Ich interessiere mich (nicht) für Mode. _____

Das passt gut zu dir. _____

Das macht dich jünger/älter. _____

Du siehst richtig gut aus. _____

Das ist nicht so mein Geschmack. _____

Die andere Brille hat mir besser gefallen. _____

**13 Wichtige Wörter und Sätze für Sie – Schreiben Sie.**

Ihre Sprache:                          Deutsch:

_____      _____

_____      _____

_____      _____

_____      _____

_____      _____

**14 Ich über mich**
**Zwei Listen: fünf Gegenstände, die ich sehr mag, und fünf, die ich gar nicht mag.**

Das mag ich:
ein schnelles Fahrrad,
meine rote Bluse,
meinen gemütlichen Sessel, ...

Das mag ich nicht:
meine unpraktische Küche, ...

# Komm doch mit!

nach **1**

**1 Wortschatz**

**a** Wählen sie ein Foto aus.
Notieren Sie möglichst
viele Wörter und Ausdrücke.

*die Kinder spielen*
*die Mütter ...*

**b Ergänzen Sie die Sätze.**

kennenlernen • ab und zu • Bekannten • Freizeitaktivität • Freundeskreis • Fußball • grillen •
Nähkurs • Picknick • etwas trinken • Sommer • Spielplatz • kann

1. Ich habe einen großen _____ . Wir feiern oft zusammen.

2. Zu meinem 30. Geburtstag lade ich alle Freunde und _____ ein.

3. Im _____ gehe ich _____ in den Park. Im Winter gehe ich nie.

4. _____ ist der beliebteste Sport in Deutschland.

5. Ich habe einen _____ gemacht, weil ich selbst Kleider machen möchte.

6. Meine liebste _____ ist Wandern. Dann nehmen wir immer etwas zum Essen

   mit und machen _____ .

7. Wir wollen morgen im Garten _____ . Jeder bringt sein Fleisch selbst mit.

8. Die Kinder sind am Nachmittag oft auf dem _____ .

9. Nach dem Kochkurs gehen wir immer in einer Kneipe _____ _____ ,

   da _____ man die Leute mit der Zeit gut _____ .

**2 Vergleiche (Wiederholung) – Ergänzen Sie.** 📖 ↓

1. Ich spiele **gern** Tischtennis, aber noch _____ spiele ich Schach.

2. Ich finde Fußball nicht **gut**. Volleyball gefällt mir viel _____.

3. Der Eintritt ins Schwimmbad ist **teuer**, aber n_____ _____ teuer _____ eine Kinokarte.

4. Auch im Winter ist der Park **schön**, aber im Sommer ist er noch _____ .

5. Wandern mag ich g_____ gern _____ Joggen. Beides mache ich oft.

6. Sport im Verein ist viel _____ _____ im Sportstudio. Das kostet nicht viel.

billiger als • genauso ... wie • besser • lieber • nicht so ... wie • schöner

nach 4

**3 Welche Indefinita passen zusammen?**

jemand ☐ ☐ _____

etwas ☐ ☐ _____

alle ☐ _____ ☐ _____

**4 Wählen Sie die passenden Indefinita und schreiben Sie die Sätze.**

1. kennt / vom Ausländeramt / die Telefonnummer / ? (jemand/niemand)
2. kannst / Brot geben / du mir / ? (nichts/etwas)
3. Freunde von mir / drei Sprachen / sprechen / . (etwas/einige)
4. kommt / pünktlich / zu Einladungen / in Deutschland / . (man/jemand)
5. ich habe / kennengelernt / noch / in einer Kneipe / . (alle/niemand)
6. ich habe / morgen / Zeit / . Kommst du mit ins Schwimmbad? (etwas/nichts)

*1. Kennt jemand die ...*

nach 6

**5 Personalpronomen und Possessivpronomen – Ergänzen Sie die Tabelle.**

| Personalpronomen | | |
|---|---|---|
| Nominativ | Akkusativ | Dativ |
| | Das Geschenk ist für … | Der Ball gehört … |
| ich | mich | mir |
| du | | dir |
| er | | |
| es | | |
| sie | | |
| wir | uns | |
| ihr | | euch |
| sie/Sie | | |

| Possessivpronomen im Nominativ | | |
|---|---|---|
| maskulinum | neutrum | femininum |
| Das ist nicht Tims Hund, das ist … | Das ist nicht Tims Buch, das ist … | Das ist nicht Tims Tasche, das ist … |
| | | |
| | | |
| seiner | | seine |
| | seins | |
| | | ihre |
| | unsers | |
| | | |
| ihrer | | |

**6 Dialoge – Was passt zusammen? Ordnen Sie zu.**

1. ● Hast du ein Hobby?
2. ● Ist das deine Tasche?
3. ● Wann fährt dein Zug?
4. ● Spielt deine Freundin auch Fußball?
5. ● Ist das Inges neuer Mantel?
6. ● Ist das euer Auto?
7. ● Ist das Lottes Geschenk?
8. ● Kann ich mal bitte deinen Kuli haben?

_5_ a) ○ Ja, das ist ihrer.
___ b) ○ Meine? Nein, nie!
___ c) ○ Meiner fährt um 12 Uhr 43.
___ d) ○ Ja, das ist unseres. Es ist ganz neu.
___ e) ○ Nein, das ist nicht meine.
___ f) ○ Ja, das ist ihrs.
___ g) ○ Ich habe meinen leider auch vergessen.
___ h) ○ Ja, ich habe eins, ich spiele Tennis.

nach **7**

**7 Kochkurs – Ergänzen Sie die Texte.**

**Klaus**

Ich esse gern, aber ich kann nicht kochen. Allein koc___ ___ ___ und es___ ___ ___ macht kei___ ___ ___ Spaß. I___ ___ langweile mi___ ___ dabei. Da___ ___ habe i___ ___ die Anz___ ___ ___ ___ gelesen. I___ ___ wusste sof___ ___ ___: Da me___ ___ ___ ich mi___ ___ an, d___ ___ interessiert mi___ ___! Freitag w___ ___ ich e___ ___ bisschen aufg___ ___ ___ ___ ___. Um se___ ___ ___ Uhr b___ ___ ich z___ ___ Kurs gega___ ___ ___ ___. Ich ha___ ___ mich vorge___ ___ ___ ___ ___ ___ und da___ ___ haben w___ ___ gekocht. Cla___ ___ ___ ___ war me___ ___ ___ Partnerin. W___ ___ haben u___ ___ gut unter___ ___ ___ ___ ___ ___. Nach d___ ___ Kurs wol___ ___ ___ ich mi___ ___ mit Cla___ ___ ___ ___ verabreden, ab___ ___ dann h___ ___ sie si___ ___ mit Michael verabredet. Ich bin allein etwas trinken gegangen.

**Claudia**

Unser Kochclub trifft sich immer freitags. Leider si___ ___ wir n___ ___ Single-Fra___ ___ ___. Dann hat___ ___ ___ wir d___ ___ Idee m___ ___ der Anz___ ___ ___ ___! Freitag ha___ ___ ich mi___ ___ schön ange___ ___ ___ ___ und w___ ___ schon um fü___ ___ Uhr im Kurs___ ___ ___ ___. Um se___ ___ ___ kamen da___ ___ die ne___ ___ ___ Mitglieder. W___ ___ haben u___ ___ begrüßt u___ ___ die Ne___ ___ ___ haben si___ ___ vorgestellt. Da___ ___ haben w___ ___ gekocht. Kl___ ___ ___ war me___ ___ Partner. Er h___ ___ sich gle___ ___ neben mi___ ___ gesetzt u___ ___ mich dau___ ___ ___ ___ angesehen. Nach dem Kurs habe ich mich mit Michael verabredet!

**8 Reflexivpronomen im Akkusativ**
**a Ergänzen Sie die Tabelle.**

| ich | du | | wir | ihr | |
|-----|-----|-----|-----|-----|-----|
| m*ich* | d | s | u | e | s |

**b Ergänzen Sie die Sätze.**

1. sich interessieren für    Claudia _interessiert_ _sich_ nicht für Klaus.

2. sich verabreden    Wir haben _____ für Freitag _____ .

3. sich treffen    Der Kochkurs _____ _____ immer um 18 Uhr.

4. sich begrüßen    Sie haben _____ _____ und miteinander geredet.

5. sich vorstellen    Dürfen wir _____ _____? Otto und Karla Leu.

6. sich setzen    _____ Sie _____ doch. Was trinken Sie?

7. sich rasieren    Ich brauche noch fünf Minuten. Ich muss _____ noch _____ .

8. sich schön machen    Wenn ich in die Disco gehe, _____ ich _____ gern _____ .

9. sich ärgern über    Claudia hat _____ über Klaus _____ .

10. sich freuen auf    Wir haben _____ auf den Abend sehr _____ .

**c Schreiben Sie mit vier von den Verben in b Sätze über sich selbst.**

*Ich interessiere mich für die Natur. Ich arbeite gern in meinem Garten.*

nach **8**

**9 Welche Verben passen? Ergänzen Sie.** 📖↓

Sport    _machen_____

ein Picknick    _____

Würstchen    _____

Geld    _____

etwas zum Essen    _____

Fußball    _____

spielen • ausgeben • mitbringen • ~~machen~~ • grillen • braten • kochen • organisieren • verdienen

**10 Vorschläge machen:** *können* **im Konjunktiv II – Schreiben Sie die Sätze wie im Beispiel.**

1. Komm morgen vorbei.    *Du könntest morgen vorbeikommen.*

2. Schreiben Sie den Brief.    _____

3. Ruft uns am Freitag an.    _____

4. Wir treffen uns um 12 Uhr.    _____

5. Esst mehr Obst.    _____

6. Kauft euch Fahrräder.    _____

7. Geh in einen Sportverein.    _____

8. Geht tanzen.    _____

# Die Wortschatz-Hitparade

## Nomen

die Abbildung, -en _____

die Abteilung, -en _____

der/die Bekannte, -n _____

der Bundesbürger, – _____

die Bundesbürgerin, -nen _____

die Freizeitmöglichkeit, -en _____

der Freundeskreis, -e _____

das Handtuch, "-er _____

der Kamm, "-e _____

die Kneipe, -n _____

die Mannschaft, -en _____

das Mitglied, -er _____

der Park, -s _____

das Picknick, -s _____

die Politik *Sg.* _____

der Präsident, -en _____

die Präsidentin, -nen _____

das Semester, – _____

der Spieler, – _____

die Spielerin, -nen _____

der Spielplatz, "-e _____

die Sportart, -en _____

der Sportverein, -e _____

das Training, -s _____

## Verben

(sich) amüsieren _____

(sich) ärgern (über) _____

(sich) engagieren (für) _____

entdecken _____

entwickeln _____

grillen _____

leiten _____

(sich) rasieren _____

(sich) richten (nach) _____

(sich) streiten _____

überraschen _____

(sich) unterhalten _____

zusammenbringen _____

zuschauen _____

## Adjektive

aufgeregt _____

ausländisch _____

digital _____

finanziell _____

offiziell _____

ungewöhnlich _____

## Andere Wörter

alle _____

alles/nichts _____

dauernd _____

einige _____

etwas _____

insgesamt _____

jemand/niemand _____

man _____

nachher _____

viele _____

**11 Ergänzen Sie die Sätze mit Verben von Seite 50 in der passenden Zeitform.**

1. Ich habe mich auf eurem Fest sehr gut mit Selma

   _____ .

2. Claudia und Klaus sind früher gegangen, weil sie sich

   _____ haben.

3. Ich möchte Tina mit einem Rosenstrauß zum Valentinstag

   _____ .

4. Ich _____ mich für Kinder mit Lernproblemen. Das macht Spaß.

5. Hast du morgen Zeit? Ich will dich mit meinem Chef _____ .

6. Ich habe ein super Restaurant _____ . Sie kochen „neue deutsche Küche"!

7. Morgen will ich mich richtig _____ . Ich gehe ins Kino und dann in die Disco.

**12 Wichtige Sätze und Ausdrücke – Schreiben Sie in Ihrer Sprache.**

Ich mag Schach/Fußball … _____

Ich mag Sport überhaupt nicht. _____

Ich spiele nicht gern Schach. _____

Ich gehe gern schwimmen/wandern … _____

Ich liebe Kino. _____

Spazierengehen finde ich langweilig. _____

Ich fahre lieber Auto als Fahrrad. _____

Was kann man in diesem Verein tun? _____

Wie hoch ist der Mitgliedsbeitrag? _____

Du könntest in einen Verein gehen. _____

Ihr könntet eure Kollegen zum Grillen einladen. _____

Man muss sich selbst informieren. _____

**13 Wichtige Wörter und Sätze für Sie – Schreiben Sie.**

Ihre Sprache:  Deutsch:

**14 Ich über mich**
**Was ich gerne tue – Formulieren Sie fünf Beispiele.**

*Ich schlafe am Wochenende gerne lang.*

nach **1**

**1** **Berufe und Jobs: wo und was –**
**Schreiben Sie die passenden**
**Nomen zu den Satzanfängen.**
**Es gibt mehrere Möglichkeiten.**

Arztpraxis • Taxifahrer •
Taxifahrerin • Restaurant •
Fabrik • Tankstelle •
Rechtsanwalt •
Rechtsanwältin • Arzt •
Ärztin • Supermarkt •
Koch • Köchin • Frisör •
Frisörin • Bäckerei •
Metzger • Metzgerin •
Paketdienst • Fitnessstudio •
Schule • Büro

Er arbeitet in einer    _Arztpraxis / ..._____

Sie jobbt im    _____

Er/Sie ist    _Arzt/Ärztin_____

Wir arbeiten bei einem    _____

nach **3**

**2** **Job-Informationen – Ergänzen Sie die Fragen und Antworten und ordnen Sie 1–8 und a–h zu.**

Überstunden    Wie
verdient    Stelle
bezahlen    Jahr
Stunden    Haben
vorstellen    Teilzeit

1. Ist die ___Stelle___ noch frei?

2. _____ ist die Arbeitszeit?

3. Kann ich auch _____ arbeiten?

4. Gibt es oft _____ ?

5. Wann kann ich mich _____ ?

6. Wie viel Urlaub hat man im _____ ?

7. _____ Sie Gleitzeit?

8. Was _____ man pro Stunde?

___ a) Ja, die Kernzeit ist von 9 bis 15 Uhr.

_1_ b) Ja, sie ist noch frei.

___ c) Können Sie morgen um 10 Uhr vorbeikommen?

___ d) Sechs Wochen laut Tarifvertrag.

___ e) Manchmal, aber nicht regelmäßig.

___ f) Wir arbeiten 36 _____ pro Woche.

___ g) Wir _____ am Anfang den Tariflohn.

___ h) Zurzeit nicht, wir brauchen eine Vollzeitkraft.

nach 4

**3 Adjektive nach bestimmten Artikeln: *der/das/die***
**Ergänzen Sie die Adjektive mit den passenden Endungen. Es gibt mehrere Möglichkeiten.**

fleißig • jung • flexibel • alt • gut • sympathisch • neu • freundlich

1. An meiner Arbeit gefällt mir besonders die _____ Arbeitszeit und das

   _____ Arbeitsklima. Das liegt vor allem an dem _____ Chef.

2. Ich mag die _____ Chefin nicht so sehr. Sie hat nicht den _____ Ton

   von ihrer Vorgängerin.

3. Der _____ Kollege aus dem Vertrieb soll dem _____ Kollegen die Arbeit

   erklären, aber der _____ Kollege glaubt, dass er alles schon weiß.

4. Das _____ Fahrrad von Guido wurde gestern am _____ Marktplatz gestohlen.

5. Seit man mit der _____ Straßenbahnlinie 5 fahren kann, lasse ich mein Auto in der Garage.

**4 Adjektiv nach bestimmtem/unbestimmtem Artikel und ohne Artikel**
**Markieren Sie zuerst die Artikel und ergänzen Sie dann die Adjektivendungen.**

1. Mit meinem alt____ Kollegen aus meinem erst____ Betrieb habe ich noch heute Kontakt.

2. Die neu____ Arbeit mit den jung____ Kolleginnen macht mir groß____ Spaß.

3. Unsere klein____ Firma kann nur mit kreativ____ Ideen und einer motiviert____ Belegschaft
   überleben.

4. Niedrig____ Löhne und ein schlecht____ Arbeitsklima führen zu niedrig____ Motivation.

5. Ich brauche einen warm____ Winter-
   mantel und eine dick____ Winterhose.

6. Der rot____ Hut ist nicht schlecht, aber
   mit dem blau____ Hut siehst du richtig
   schick aus.

7. Im Sommer trage ich oft eine weiß____
   Bluse und einen bunt____ , lang____ Rock.

8. Bringen Sie mir bitte einen groß____ Kaffee mit viel heiß____ Milch.

9. Ich hätte gerne ein klein____ Glas Apfelsaft und den groß____ Sommersalat mit frisch____ Früchten.

10. Ich kann dir ein dick____ Steak mit scharf____ Pfeffersoße machen, wenn du willst.

nach 6

**5 Relativsätze im Nominativ und Akkusativ – Ergänzen Sie die Tabelle.**

|  |  | Nominativ | Akkusativ |
|---|---|---|---|
| Das ist | **der** Mann, | *der* bei uns im Haus wohnt und | _____ ich gut kenne. |
|  | **das** Kind, | _____ bei uns im Haus wohnt und | _____ ich wenig kenne. |
|  | **die** Frau, | _____ bei uns im Haus wohnt und | _____ ich sehr gut kenne. |
| Das sind | **die** Leute, | _____ bei uns im Haus wohnen und | _____ ich fast nicht kenne. |

**6** **Ergänzen Sie die Relativpronomen.**

1. Die Arbeit, _____ ich seit drei Jahren gemacht habe, hat mir nicht mehr gefallen.

2. Die Ausbildung, _____ ich jetzt abgeschlossen habe, hat drei Jahre gedauert.

3. Ich liebe den Job, _____ ich jetzt gefunden habe.

4. Der Stundenlohn, _____ ich bekomme, ist ganz gut.

5. Ich mag meinen neuen Chef, _____ seit zwei Wochen bei uns arbeitet.

6. Mein Deutschkurs, _____ ich eigentlich gut finde, ist manchmal sehr anstrengend.

7. Die Zeitung, _____ ich abonniert habe, ist mir manchmal zu konservativ.

**7** **Etwas genauer sagen – Schreiben Sie die Sätze wie im Beispiel.**

1. der Pullover / mir / gefallen – zu teuer / sein / der Pullover

*Der Pullover gefällt mir. Der Pullover ist zu teuer.* _____

*Der Pullover, der mir gefällt, ist zu teuer.* _____

2. ich / das Auto / gekauft haben – vier Jahr alt / sein / das Auto

_____

_____

3. die Frau / in der Mitte / stehen – meine Schwester / sein / die Frau

_____

_____

4. der Park / die Mannheimer / sehr / mögen – Luisenpark / heißen / der Park

_____

_____

5. ich / die Wohnung / mieten / wollen – zu groß / sein / für mich allein / die Wohnung

_____

_____

6. das Fest / die Deutschen / am 24.12. / feiern – Weihnachten / heißen / das Fest

_____

_____

7. die Reise / nach Basel / wir / gemacht haben – wunderschön / sein / die Reise

_____

_____

8. der Fahrschein / ich / gekauft haben – 125 Euro / gekostet haben / der Fahrschein

_____

_____

**8** **Wie heißt das Wort? Lesen Sie und ergänzen Sie die Worterklärungen.**

1. ___rb___ ___ts___g___nt___r    eine öffentliche Stelle, _die_ Jobs vermittelt

2. B___w___rb___ngs-
___nt___rl___g___n    Papiere, _____ man braucht, wenn man eine Stelle sucht

3. P___ssf___t___    das Bild, _____ man zu den Papieren aus Nr. 2 legt

4. t___b___ll___r___sch___r
L___b___nsl___ ___f    ein Liste, _____ kurz das eigene Leben beschreibt

5. Z___ ___gn___s    ein Dokument, _____ man z.B. am Ende der Schulzeit bekommt

6. F___br___k    eine Firma, _____ Dinge produziert

7. P___tzfr___ ___    eine Person, _____ z.B. Büros saubermacht

8. K___ss___ ___r___r    ein Mann, _____ z.B. an der Kasse von einem Supermarkt arbeitet

9. ___ ___sh___lf___    eine Person, _____ in einer Firma hilft, wenn jemand krank ist

10. K___ch___nh___lf___    eine Person, _____ im Restaurant dem Koch hilft

11. T___ ___lz___ ___t-
___rb___ ___t    eine Arbeit, _____ man nicht den ganzen Tag macht

12. fl___x___bl___    Arbeitszeit, _____ nicht immer gleich ist

13. Sch___chtd___ ___nst    Arbeit, _____ morgens, mittags, abends oder nachts beginnt

14. St___nd___nl___hn    Bezahlung, _____ man für 60 Minuten Arbeit bekommt

**9** **Wortfeld Arbeitsplatz – Sehen Sie das Bild genau an. Wie viele Berufe, Tätigkeiten und Gegenstände können Sie nennen?**

# Die Wortschatz-Hitparade

## Nomen

die Agentur, -en _____

das Anschreiben, – _____

der Arbeitgeber, – _____

die Arbeitgeberin, -nen _____

der Arbeitnehmer, – _____

die Arbeitnehmerin, -nen _____

das Arbeitszeugnis, -se _____

die Aushilfe, -n _____

der Bau, Bauten _____

die Beschäftigung, -en _____

die Bewerbungsunterlagen *Pl.* _____

der Bogen, – _____

die Darstellung, -en _____

der Dienst, -e _____

das Ding, -e _____

der Einstellungstest, -s _____

die Fabrik, -en _____

das Feuer, – _____

die Fortbildung, -en _____

die Gehaltserhöhung, -en _____

der Handwerker, – _____

die Handwerkerin, -nen _____

die Karriere, -n _____

der/die Kassierer/in, –/-nen _____

der Lohn, "-e _____

der Nebenjob, -s _____

das Passfoto, -s _____

die Reparatur, -en _____

das Stellenangebot, -e _____

die Tätigkeit, -en _____

die Unterstützung, -en _____

das Vorstellungsgespräch, -e _____

## Verben

aufgeben _____

betonen _____

sich bewerben _____

diskutieren _____

erledigen _____

ernähren _____

löschen _____

nachdenken _____

unterstützen _____

vermitteln _____

versorgen _____

wegschicken _____

## Adjektive

ausgebildet _____

besetzt _____

fest _____

mündlich _____

schriftlich _____

unzufrieden _____

## Andere Wörter

beide _____

eben _____

relativ _____

unterwegs _____

**10  Nomen und Verben – Ergänzen Sie die passenden Wörter in der Tabelle.**

| die Hilfe | helfen |
|---|---|
| die Diskussion | |
| | (sich) fortbilden |
| die Ernährung | |
| | empfehlen |
| die Bewerbung | |
| | kassieren |
| die Vermittlung | |
| | unterstützen |

**11  Wichtige Sätze und Ausdrücke – Schreiben Sie in Ihrer Sprache.**

Ist die Stelle noch frei?  _____

Wie ist die Arbeitszeit?  _____

Was verdient man?  _____

Wie hoch ist der Stundenlohn?  _____

Welche Dokumente brauchen Sie von mir?  _____

Muss ich am Wochenende arbeiten?  _____

Kann man auch Teilzeit arbeiten?  _____

Gibt es Schichtarbeit / flexible Arbeitszeit?  _____

Wann kann ich mich vorstellen?  _____

Wann kann ich anfangen?  _____

**12  Wichtige Wörter und Sätze für Sie – Schreiben Sie.**

Ihre Sprache:                          Deutsch:

_____          _____

_____          _____

_____          _____

_____          _____

**13  Ich über mich – Berufe, die ich gerne machen möchte / Berufe, die ich nicht gerne machen möchte: Schreiben Sie je drei Beispiele.**

*Ich würde gern im Kindergarten arbeiten, weil ich Kinder sehr mag.*

# 22 Alltag und Medien

nach 1

**1** **Ein Tag – Ergänzen Sie den Text.**

Mein Alltag und die Medien? Gute Frage. Darüber ha__ __ ich eigen__ __ __ __ __ noch

n__ __ nachgedacht. Al__ __ , beim Früh__ __ __ __ __ höre i__ __ immer Ra__ __ __ .

Um sie__ __ __ klingelt d__ __ Wecker, d__ __ heißt, er klin__ __ __ __ nicht, er ge__ __

an. Es i__ __ ein Radio__ __ __ __ __ __ . So we__ __ __ ich im__ __ __ mit Mu__ __ __

geweckt u__ __ ich hö__ __ kurz d__ __ Nachrichten.

Ja, u__ __ dann be__ __ Frühstücken

hö__ __ ich wei__ __ __ Musik u__ __

ich le__ __ die Zei__ __ __ __ . Die

li__ __ __ morgens im__ __ __ schon

v__ __ der T__ __ . Dann pa__ __ __ ich

me__ __ Handy u__ __ meinen M__3-Pla-

yer e__ __ und ge__ __ zur Arb__ __ __ .

Auf d__ __ Weg schr__ __ __ __ ich

e__ __ paar S__ __ . Im Bü__ __ mache

i__ __ meinen Comp__ __ __ __ an

u__ __ höre d__ __ Anrufbeantworter ab. I__ __ sitze fa__ __ den gan__ __ __ Tag am PC.

I__ __ korrigiere Te__ __ __ , beantworte Ma__ __ __ und recher__ __ __ __ __ __ im

Inte__ __ __ __ .

Manchmal ge__ __ ich na__ __ der Arb__ __ __ mit Freu__ __ __ __ ins Ki__ __ oder sehe

abends fern oder ich hole mir Filme aus dem Internet.

**2** **Schreiben Sie die Sätze.**

1. nicht / ins / kommen / zurzeit / ich / Netz / .     *Ich komme zurzeit nicht ins Netz.*

2. zurückrufen / du / mich / ?     _____

3. ich / noch mal / später / dich / anrufen / .     _____

4. sein / es / besetzt / immer / .     _____

5. auf / mir / den Anrufbeantworter / du / sprechen / ? _____

6. mit / Frau / ich / verbinden / Sie / Roland / .     _____

7. Mail / haben / geschickt / ich / eine / dir / .     _____

8. wann / Nachrichten / die / kommen / ?     _____

**3 Was passt nicht? Markieren Sie.**

1. ausschalten: Handy / ~~Zeitung~~ / Anrufbeantworter / Computer
2. sprechen: Telefon / Buch / Radio / Anrufbeantworter
3. abschicken: Brief / Fax / Telefon / Mail
4. hören: Nachrichten / CD / Anhang / Radio
5. Nachrichten: kommen / hören / sehen / anrufen
6. Computer: umschalten / schreiben / verbinden / mailen
7. Fernseher: einschalten / umschalten / abschicken / zappen
8. Handy: abschicken / treffen / zurückrufen / lesen

**4 Perfekt (Wiederholung)**
**a Schreiben Sie.**

Vor fünf Minuten ...

1. Handy klingeln      *hat das Handy geklingelt.*
2. die Nachrichten hören (er)   _____
3. am Computer arbeiten (sie)   _____
4. Zeitung lesen (er)   _____
5. mit Peter am Telefon sprechen (er)   _____
6. eine SMS bekommen (wir)   _____
7. eine SMS abschicken (ihr)   _____
8. eine Mail an dich schreiben (ich)   _____
9. die Fotos herunterladen (Tom)   _____
10. ins Kino gehen (wir)   _____
11. eine Nachricht mailen (sie)   _____
12. den Fernseher ausschalten (ich)   _____
13. den Anrufbeantworter abhören (sie)   _____
14. mit Felice telefonieren (Jenny)   _____

**b Vor zehn Minuten, vor einer Stunde, vor vier Stunden, vor acht Stunden – Schreiben Sie vier Sätze.**

*Vor zehn Minuten habe ich mit dem Lernen angefangen.*

**5 Adjektive**

**a Wie heißen die Adjektive? Ordnen Sie sie 1–4 zu.**

lich    putt    aus    disch

schrift   herr   sön    res   kos   sport  täg    pa  häss  ger   lang
se  mög  tisch   ßig  sym   freund    aus    ter  rühmt  ver   los    güns
tig   tig    zu   re   sant   hei   lich  lich    ra
ten  in   län  na   ka  lich  mo    in  gel  lich   prak  mä
lich     tet   per   ge  wei    net      tio
zeich   tisch  lich   te   lich  lig  lei   disch     kri  be  wich
är    nal    thisch     lich   frieden

1. ...lich   *herrlich,* _____

2. ...ig   _____

3. ...isch   _____

4. andere   _____

**b Was passt? Notieren Sie mindestens vier Adjektive aus 5a.**

1. Die Fernsehsendung ist   _____

2. Das Internet ist   _____

3. Ein Telefonanruf ist   _____

4. Die Nachrichtensprecherin ist   _____

5. Ich bin   _____

**6 Nebensätze (Wiederholung) – Ergänzen Sie.**

dass • dass • dass • weil • weil • weil • wenn • Wenn

1. Mehmet geht drei Mal in der Woche ins Fitnessstudio, _____ er Zeit hat.

2. Sarah hat noch keine Kinder, _____ sie zuerst Karriere machen will.

3. Sarah ist der Meinung, _____ man Familie und Beruf nicht gut vereinbaren kann.

4. _____ Monika lange am Computer arbeitet, bekommt sie Kopfschmerzen.

5. Luisa arbeitet am Wochenende, _____ sie das Projekt fertig machen muss.

6. Olga sagt, _____ sie ohne Internet gar nicht leben könnte.

7. Sie hat kein Telefon zu Hause, _____ ihr das zu teuer ist, aber sie hat ein Handy.

8. Yong-Min findet, _____ ein Handy manchmal auch richtig nervig sein kann.

nach **6**

**7** *Welch...? – Dies... –* **Schreiben Sie die Fragen und Ihre Antwort.**

Handy / besser / gefallen / Ihnen

*Welches Handy gefällt Ihnen besser?*

Brille / schöner / sein

_____

D_____. D_____. D_____. D_____.

Teppich / schöner / sein

_____

Blumen / besser / gefallen / Ihnen

_____

 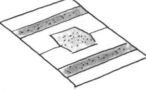

D_____. D_____. D_____. D_____.

nach **8**

**8** **Meinungen sagen – Schreiben Sie.**

1. Fernsehen macht dumm. (nicht stimmen)
2. Kinder ab 12 brauchen ein Handy. (nicht finden)
3. Es gibt viele interessante Sendungen im Fernsehen. (finden)
4. Computerunterricht im Kindergarten ist Unsinn. (finden)
5. Es gibt zu viel Werbung im Fernsehen. (meinen)
6. Manche Menschen können ohne den Fernseher nicht mehr leben. (glauben)
7. Im Internet bekommt man aktuellere Informationen als im Fernsehen. (klar sein)

*Ich finde,
dass man nicht früh
genug anfangen kann.*

1. *Es stimmt nicht, dass Fernsehen dumm macht.* _____
2. *Ich* _____
3. _____
4. _____
5. _____
6. _____
7. _____

# Die Wortschatz-Hitparade

## Nomen

die Angabe, -n _____

der Anrufbeantworter, – _____

der Betrag, "-e _____

der Bürger, – _____

die Bürgerin, -nen _____

das Ereignis, -se _____

das Fernsehprogramm, -e _____

der Fernsehsender, – _____

die Flatrate, -s _____

die Gaststätte, -n _____

das Internet *Sg.* _____

der König, -e _____

die Königin, -nen _____

die Mailbox, -en _____

die Medien *Pl.* _____

die Million, -en _____

die Nachricht, -en _____

das Netz, -e _____

die Öffentlichkeit *Sg.* _____

das Papier, -e _____

die Privatsphäre, -n _____

der Rundfunk *Sg.* _____

die Sendung, -en _____

die SMS, – _____

die Tageszeitung, -en _____

der Tarif, -e _____

die Unterhaltung *Sg.* _____

der Vertrag, "-e _____

das Video, -s _____

der Wetterbericht, -e _____

der Zuschauer, – _____

die Zuschauerin, -nen _____

## Verben

anmachen _____

chatten _____

empfangen _____

finanzieren _____

fotografieren _____

herunterladen _____

mailen _____

mitmachen _____

regeln _____

senden _____

surfen _____

starten _____

umschalten _____

verbieten _____

verhindern _____

vertreten _____

## Adjektive

farbig _____

gesellschaftlich _____

monatlich _____

populär _____

## Andere Wörter

ausschließlich _____

eigentlich _____

online _____

übrigens _____

**9 Ergänzen Sie mit Wörtern aus der Hitparade.**

1. Ich bin heute nicht zu Hause, aber du kannst mir auf den _____ sprechen.

2. Am Samstagabend ist das _____ immer langweilig.

3. Wie viele _____ könnt ihr empfangen?

4. Ich möchte den Film im ZDF sehen. Kannst du bitte _____ ?

5. Der Film kommt um 23.15 Uhr. Das ist spät, aber ich kann ihn aus dem Netz _____ .

6. Du kannst mir jetzt _____ . MeineAdresse ist epifo@zag.de.

7. Mit meinem alten Fernseher kann ich nur 10 Programme _____ .

8. Hast du einen Moment Zeit? Ich muss schnell meinen Computer _____ .

9. Acht Stunden im Internet _____ ist nicht gut. Mir tun die Augen weh.

10. Krimiserien sind in Deutschland sehr _____ . Besonders der „Tatort".

**10 Wichtige Sätze und Ausdrücke – Schreiben Sie in Ihrer Sprache.**

Hast du einen Internetanschluss?  _____

Wie ist deine E-Mail-Adresse?  _____

Ich lese regelmäßig die Zeitung.  _____

Mit meinem Handy kann ich im Netz surfen.  _____

Du kannst mir auf den Anrufbeantworter sprechen. _____

Ich finde gut, dass … (es so viele Programme gibt).  _____

Ich glaube nicht, dass … (Fernsehen dumm macht).  _____

Ich bin mir nicht sicher, aber ich glaube …  _____

Das ist eine ganz gute / gute/super Idee.  _____

Das stimmt!  _____

Das ist Unsinn!  _____

**11 Wichtige Wörter und Sätze für Sie – Schreiben Sie.**

Ihre Sprache:                                           Deutsch:

_____           _____

_____           _____

_____           _____

_____           _____

**12 Ich über mich**
**Radio, Fernsehen, Internet … – Was ist für mich am wichtigsten und warum?**

*Ich bin mir nicht sicher, aber vielleicht ist das Radio für mich am wichtigsten. Ich höre jeden Morgen …*

# 23 Die Politik und ich

**nach 1**

**1** **Landeskunde – Bei etwa jedem zweiten Wort fehlt etwa die Hälfte. Ergänzen Sie den Text.**

Nach dem Zweiten Weltkrieg (1939–45) gab es v___ ___ 1949 bis 1990

zw___ ___ deutsche Sta___ ___ ___ ___. Von 1961 b___ ___ 1989 trennte

ei___ ___ Mauer O___ ___- und Westb___ ___ ___ ___ ___. Man k___ ___

nicht od___ ___ nur m___ ___ großen Prob___ ___ ___ ___ ___

über d___ ___ Grenze v___ ___ der B___ ___ (Bundesrepublik

Deuts___ ___ ___ ___ ___ ___) in d___ ___ DDR (Deut___ ___ ___ ___

Demokratische Repu___ ___ ___ ___) oder umge___ ___ ___ ___ ___.

Französischer Sektor

Sowjetischer Sektor

Britischer Sektor — WEST-BERLIN — OST-BERLIN

Amerikanischer Sektor

Durch d___ ___ friedliche Revol___ ___ ___ ___ ___ in

d___ ___ DDR k___ ___ es am 9. Nove___ ___ ___ ___ 1989

zum Fa___ ___ der Ma___ ___ ___. Die Gre___ ___ ___ zwi-

schen O___ ___ und We___ ___ wurde geöf___ ___ ___ ___.

Die Bür___ ___ ___ der D___ ___ durften z___ ___ ersten

M___ ___ seit 1961 wie___ ___ ___ frei rei___ ___ ___. 1990

sind d___ ___ heutigen östl___ ___ ___ ___ ___ Bundeslän-

der z___ ___ Bundesrepublik geko___ ___ ___ ___. Der 3. Okt___ ___ ___ ___ ist des___ ___ ___ ___ ein

Feie___ ___ ___ ___: der „Tag der Deutschen Einheit".

**nach 2**

**2** **Fragen zur Politik – Ordnen Sie zu. Können Sie die Fragen beantworten?**

1. Gibt es bei
2. Gibt es ein
3. Gibt es eine
4. Wissen Sie, wie
5. Ist das ein Präsident
6. Gibt es in Ihrem
7. Welche Partei ist an
8. Wie heißt euer
9. Wissen Sie, wer
10. Können Sie mir sagen, wie viel

___ a) in Deutschland Abgeordnete verdienen?
___ b) der Bundespräsident heißt?
_1_ c) Ihnen Parteien?
___ d) Land regelmäßig Wahlen?
___ e) oder ein König?
___ f) Opposition?
___ g) Parlament?
___ h) Staatschef?
___ i) zurzeit Bundeskanzler ist?
___ j) der Regierung?

*Ja, in den USA gibt es Parteien, die beiden großen Parteien heißen Demokraten und Republikaner.*

nach **3**

**3** Verben mit Präpositionen – Ergänzen Sie die Präpositionen und die Endungen.

an • auf • bei • für • für • für • mit • über • auf • um

1. Ich achte ___*auf*___ mein*e* Gesundheit. Ich finde, das ist das Wichtigste.

2. Mehmet hat sich _____ sein_____ Bruder geärgert, weil der die Eltern nicht besucht hat.

3. Carlos denkt jeden Tag _____ sein_____ Freundin, die gerade in Polen arbeitet.

4. Yong-Min diskutiert gern _____ deutsch_____ Jugendlichen, aber manchmal versteht sie sie nicht.

5. Ich engagiere mich _____ d_____ interkulturellen Austausch.

6. Wir freuen uns _____ d_____ Zeit nach dem Sprachkurs, wenn wir mehr Zeit für uns haben.

7. Olga interessiert sich _____ deutsch_____ Literatur. Sie will irgendwann Brecht im Original lesen.

8. Ich kämpfe nicht _____ ander_____ Leute. Ich habe selbst genug Probleme.

9. Kasimir muss sich _____ sein_____ Vater kümmern. Er ist sehr krank.

10. Ich möchte mich _____ Ihn_____ für Ihre Hilfe bedanken.

**4** Meinungen und Begründungen (Wiederholung) – Was passt zusammen?
Ordnen Sie 1–6 und a–f einander zu und ergänzen Sie die Sätze wie im Beispiel.

1. _*a*_ Ich finde die Wirtschaftspolitik am wichtigsten, weil
   *das Wichtigste die Arbeitsplätze sind.*

2. ___ Die Politik muss mehr für die Bildung tun, denn
   _____

3. ___ Die Kulturpolitik finde ich nicht so wichtig, denn
   _____

4. ___ Für mich ist natürlich die Ausländerpolitik wichtig, weil
   _____

5. ___ Ich glaube, dass man zu wenig für die Kinder tut, deshalb
   _____

6. ___ Straßenbahnen und Busse müssen öfter fahren, weil
   _____

a) Das Wichtigste sind die Arbeitsplätze.
b) Die Familien sind so klein.
c) Die Leute können ihre Freizeit allein organisieren.
d) Mich betrifft das persönlich.
e) Ohne gute Bildung bekommt man keinen guten Arbeitsplatz.
f) Sonst benutzt sie niemand.

## 5 Satzklammer (Wiederholung) – Schreiben Sie die Sätze in die Grafik.

1. Der ICE kommt um 18 Uhr in Jena an.     (trennbares Verb)
2. Ich habe drei Jahre Deutsch gelernt.     (Perfekt mit *haben*)
3. Der Zug ist um 11 Uhr abgefahren.     (Perfekt mit *sein*)
4. Ich muss heute noch Wörter lernen.     (Präsens mit Modalverb)
5. Kannst du mir morgen helfen?     (Ja/Nein-Frage mit Modalverb)
6. Er durfte schon mit 16 Jahren wählen.     (Modalverb im Präteritum)
7. Ich würde gerne Karate lernen.     (Konjunktiv mit *werden*)
8. Die Kanzlerin wird vom Parlament gewählt.     (Passiv Präsens)
9. Nach dem Krieg wurde Deutschland geteilt.     (Passiv Präteritum)

1. *Der ICE* _____ ( *kommt* ) *um 18 Uhr in Jena* ( *an.* )

2. _____ ( ) _____ ( )

3. _____ ( ) _____ ( )

4. _____ ( ) _____ ( )

5. ( ) _____ ( )

6. _____ ( ) _____ ( )

7. _____ ( ) _____ ( )

8. _____ ( ) _____ ( )

9. _____ ( ) _____ ( )

## 6 Präteritum (Wiederholung): *sein, haben* und die Modalverben – Ergänzen Sie die Tabelle.

| Infinitiv | sein | haben | müssen | dürfen | können | wollen | sollen |
|---|---|---|---|---|---|---|---|
| ich | war | | | | | | |
| du | | hattest | | | | | |
| er/es/sie/man | | | musste | | | | |
| wir | | | | durften | | | |
| ihr | | | | | konntet | | solltet |
| sie/Sie | | | | | | wollten | |

**7 Präteritum**

**a Hier sind 15 unregelmäßige Verben, die man sehr häufig benutzt.**
**Machen Sie eine Tabelle mit den Verbformen.**

| | 3. Person Präsens | Präteritum | Perfekt |
|---|---|---|---|
| bringen | *sie bringt* | | |
| denken | | *sie dachte* | |
| fahren | | | *sie ist gefahren* |
| finden | | | |
| fliegen | | | |
| geben | | | |
| gehen | | | |
| heißen | | | |
| kennen | | | |
| kommen | | | |
| liegen | | | |
| nehmen | | | |
| rufen | | | |
| sehen | | | |
| stehen | | | |

**b Notarzt – Schreiben Sie die Geschichte im Präteritum.**

sie / bekommen / Kopfweh / am Abend / .  *Am Abend bekam sie Kopfweh. Zuerst ...*

ihr Mann, / denken / das ist der Wein / zuerst / . _____

aber / es / gehen / ihr / immer schlechter / . _____

er / anrufen / den Notarzt / nachts um drei / . _____

der Arzt / kommen / nach 20 Minuten / . _____

er / untersuchen / sie / . _____

ins Krankenhaus / müssen / sie / .

_____

ihr Mann / packen / einen Koffer / für das Krankenhaus / .

_____

sie / warten / eine halbe Stunde / auf den Krankenwagen / .

_____

sie / operiert / werden / sofort / .

_____

# Die Wortschatz-Hitparade

## Nomen

der Antrag, "-e _____

der Beamte, -n _____

die Beamtin, -nen _____

die Brücke, -n _____

der Bürgermeister, – _____

die Bürgermeisterin, -nen _____

die Diskussion, -en _____

das Dorf, "-er _____

der Einfluss, "-e _____

die Energie, -n _____

der Feiertag, -e _____

die Freiheit, -en _____

die Gesellschaft Sg. _____

das Gesetz, -e _____

die Gewerkschaft, -en _____

die Grenze, -n _____

die Leistung, -en _____

die Macht Sg. _____

die Mehrheit, -en _____

der Minister, – _____

die Ministerin, -nen _____

der Mittelpunkt, -e _____

der Nationalfeiertag, -e _____

die Opposition Sg. _____

das Parlament, -e _____

die Partei, -en _____

die Reaktion, -en _____

die Rente, -n _____

die Rücksicht Sg. _____

der Schutz Sg. _____

der Sitz, -e _____

die Steuer, -n _____

die Umwelt Sg. _____

der Unterschied, -e _____

der Vortrag, "-e _____

die Wahl, -en _____

## Verben

bitten _____

(sich) einsetzen _____

entscheiden _____

kämpfen _____

(sich) kümmern _____

regieren _____

## Adjektive

alternativ _____

ängstlich _____

demokratisch _____

freiwillig _____

liberal _____

niedrig _____

politisch _____

wütend _____

## Andere Wörter

bisher _____

jeweils _____

wahrscheinlich _____

wenigstens _____

**8 Wortfelder – Welche Wörter passen zu den Oberbegriffen?**

( Parlament )  ( Regierungen )  ( Ideen/Religionen )

*Parteien*  *Macht*  *liberal*

**9 Nomen, Verben und Adjektive – Ergänzen Sie die fehlenden Wörter.**

| | Nomen | Verb | Adjektiv |
|---|---|---|---|
| 1 | die Politik | | |
| 2 | | regieren | |
| 3 | | beantragen | |
| 4 | die Gerechtigkeit | | |
| 5 | | | gesund |
| 6 | | | lebendig |
| 7 | | regeln | |
| 8 | der Staat | | |
| 9 | das Engagement | | |
| 10 | | (sich) interessieren für | |
| 11 | die Diskussion | | |

**10 Wichtige Sätze und Ausdrücke – Schreiben Sie in Ihrer Sprache.**

Ich finde, dass es mehr Spielplätze geben muss. _____

Ich denke, wir müssen uns alle mehr engagieren. _____

Das stimmt. / Das ist richtig. _____

Du hast / Sie haben recht. _____

Das glaube ich nicht. Im Gegenteil … _____

Ich weiß nicht. _____

Kann sein. / Vielleicht. _____

Ich weiß darüber nichts. _____

**11 Wichtige Wörter und Sätze für Sie – Schreiben Sie.**

Ihre Sprache:  Deutsch:

_____  _____

_____  _____

_____  _____

_____  _____

**12 Ich über mich**
**Zwei Listen: 1. Was die Politik tun sollte. 2. Was die Politik nicht tun sollte.**

nach 2

**1  Gutes Benehmen – Schreiben Sie die Sätze.**

1. den Gesprächspartner / ausreden / lassen / man / sollen / .
2. es ist unfreundlich,  / anderen Menschen / nicht helfen / wenn / man / .
3. einen Platz in der Straßenbahn / älteren Menschen / anbieten / sollen / man /.
4. nicht dürfen / auf der Straße / man / ausspucken / .
5. nicht sollen / man / in der Öffentlichkeit / bohren / in der Nase / .
6. nicht dürfen / man / zu Terminen / zu spät kommen / .
7. es ist unhöflich, / wenn / mitten in einem Gespräch / eine SMS lesen / man / .
8. vor den Mund / die Hand / beim Husten / halten / man / sollen / .
9. Handy / sollen / bei Veranstaltungen / man / eingeschaltet lassen / nicht / .
10. nicht / dürfen / am Tisch / rülpsen oder schmatzen / man / .

> *1. Man soll den Gesprächspartner ausreden lassen.*
> *2. Es ist unfreundlich, wenn ...*

**2  Adjektivdeklination (Wiederholung) – Schreiben Sie die Sätze.**
**a  Ich schaue aus dem Fenster und sehe ...**

1. ein – groß – schwarz – Wolke

*eine große schwarze Wolke.*

2. ein – klein – Jungen – mit – ein – grau – Mütze

_____

3. ein – alt – Mann – mit – ein – groß – Hund   _____

4. die – neu – Nachbarin   _____

5. viele – schmutzig – Autos   _____

6. mein – Sohn – mit – sein – neu – Freundin   _____

**b  Verabredung zum Essen**

1. Wenn ich mit mein **em** neu____ Freund essen gehe, mache ich mich gerne schön.

2. Dann ziehe ich mein____ blau____ Hose und die schwarz____ Bluse an.

3. Wir gehen oft in das klein____ Restaurant am alt____ Markt.

4. Das letzte Mal habe ich ein____ groß____ Salat mit italienisch____ Soße bestellt.

5. Paul hat ein____ saftig____ Steak gegessen und dazu ein____ kalt____ Bier getrunken.

6. Nach dem Essen haben wir ein____ lang____ Spaziergang gemacht.

7. Wir haben die ganz____ Zeit geredet und gelacht. Es war ein____ wunderschön____ Abend.

nach **3**

**3** **Ergänzen Sie den Text.**

Wenn ich Leute zum Abendessen

ein___ ___ ___ ___ , bereite i___ ___ das

ge___ ___ ___ vor. Be___ ___ ___ ich m___ ___

der Pla___ ___ ___ ___ beginne, fr___ ___ ___

ich me___ ___ ___ Gäste, w___ ___ sie

ge___ ___ essen u___ ___ was g___ ___ nicht.

Man___ ___ ___ essen ke___ ___ Fleisch

od___ ___ trinken kei___ ___ ___ Alkohol.

Man___ ___ ___ sind ge___ ___ ___ irgendetwas

aller___ ___ ___ ___ ___ . Zu ei___ ___ ___

guten Es___ ___ ___ gehört b___ ___

mir ei___ ___ schöne Tischdekoration. Vieles

ber___ ___ ___ ___ ich sc___ ___ ___ einen

T_____ vorher v___ ___ . Nach d___ ___ Kochen ma___ ___ ___ ich mi___ ___ schön. Da___ ___ mache

ich Musik an und warte auf die Gäste.

**4** **Nomen und Verben**
**a Was passt zusammen? – Es gibt z. T. verschiedene Möglichkeiten.**

dekorieren • abwaschen • decken • anbieten • bedanken • planen • essen • vorbereiten • mitbringen • kommen • kalt stellen • kaufen

1. den Tisch *decken, dekorieren* ___

2. ein Menü _____

3. pünktlich _____

4. sich für die Einladung _____

5. ein kleines Geschenk _____

6. den Nachtisch _____

7. die Getränke _____

8. kein Fleisch _____

9. das Geschirr _____

10. noch etwas Nudeln _____

**b Schreiben Sie fünf Äußerungen zu 1–10 wie im Beispiel.**

*Darf ich Ihnen noch etwas Nudeln anbieten?*
*Mögen Sie ...*

## 5 Reflexivpronomen (Wiederholung) – Ergänzen Sie.

1. ● Wir bedanken ___uns___ ganz herzlich für die Einladung.

    ○ Ich freue _____ , dass Sie da sind. Setzen Sie ___sich___ doch. Was trinken Sie?

2. ● Interessierst du _____ für Sport?

    ○ Ja, sehr. Ich freue _____ immer auf die Sportschau am Samstag.

3. ● Wo haben Sie _____ kennengelernt?

    ○ Wir kennen _____ schon seit der Schulzeit.

4. ● Wie bereitest du _____ auf den Test vor?

    ○ Ich unterhalte _____ fast nur auf Deutsch und lerne jeden Tag 30 Minuten.

## 6 Komparativ (Wiederholung) – Schreiben Sie. Es gibt z. T. zwei Möglichkeiten.

1. selber kochen / billig / Fastfood essen / sein / .
2. Fastfood essen / schnell / selber kochen / sein / .
3. Döner / Hamburger / gut / sein / .
4. Gesundheit / wichtig / Geld / sein / .
5. Saft / Alkohol / trinken / ich / gern / .
6. Tee / Kaffee / trinken / er / viel / .
7. am Morgen / sein / kühl / am Mittag / .
8. Heute / warm / gestern / sein / .

*1. Selber kochen ist billiger als Fastfood essen.*

nach **4**

## 7 Präpositionen (Zusammenfassung)

### a Welche Präpositionen stehen immer mit Dativ, immer mit Akkusativ, mit Akkusativ oder Dativ (◻ Richtung oder Ort •)? Schreiben Sie D, A oder D/A.

| an ___D/A___ | durch _____ | in _____ | nach _____ | von _____ |
| aus ___D___ | für _____ | neben _____ | seit _____ | vor _____ |
| bei _____ | gegen _____ | ohne _____ | über _____ | zu _____ |
| bis _____ | hinter _____ | mit _____ | unter _____ | zwischen _____ |

### b Markieren Sie die passenden Präpositionen und ergänzen Sie die Endungen.

1. Vor/Seit/Hinter d____ Essen biete ich meinen Gästen immer etwas zu trinken an.

2. Für/Nach/Um d____ Essen gibt es einen Kaffee.

3. Ich koche seit/durch/um mein____ Schulzeit.

4. Für/Durch/Gegen ein____ gut____ Wein muss man schon etwas Geld ausgeben.

5. Die Gläser stehen zwischen/in/unter d____ klein____ Schrank hier links.

6. Stell die Suppenteller bitte auf/über/zwischen d____ groß ____ Teller.

7. Du kannst auf/neben/über d___ Balkon rauchen.

    Geh aus/über/unter d____ Flur und dann links.

8. Ich habe nichts gegen/für/zu d____ Rauchen. Aber in der

    Wohnung will ich das nicht.

nach **5**

**8** **Was passt zusammen? Ordnen Sie zu.**

1. Bitte nehmen Sie   ____    a) für die Einladung,

2. Bedienen Sie   ____    b) gut geschmeckt.

3. Gibt es etwas,   ____    c) kein Fleisch.

4. Vielen Dank   ____    d) sich doch.

5. Es hat sehr   ____    e) doch noch etwas.

6. Ich esse   ____    f) was Sie nicht essen?

nach **6**

**9** **Adverbien – Markieren Sie das passende Wort.**

1. Maria hat jetzt/morgen/früher bei Miele gearbeitet.
2. Dann/Vorher/Jetzt arbeitet sie schon zwei Jahre bei Oetker.
3. Wenn sie nach Hause kommt, isst sie nachher/zuerst/heute etwas.
4. Früher/Gestern/Dann geht sie ins Fitnessstudio.
5. Danach/Früher/Heute hat sie immer ihre Freundin Sarah besucht.

6. Ich grille meistens/danach/früher im Sommer.
7. Wir laden gestern/zuletzt/oft Gäste ein.
8. Meine Einladungen plane ich nie/heute/dann.
9. Bei uns kommen die Gäste immer/nachher/zuerst eine Stunde zu spät.
10. Wir laden selten/danach/vorher Gäste ein.

nach **9**

**10** **Verben (Wiederholung): trennbar oder nicht? – Schreiben Sie wie im Beispiel.**

| Infinitiv | 3. Person Präsens | Perfekt |
|---|---|---|
| anbieten | *er bietet an* | *er hat angeboten* |
| anfangen | | |
| sich bedanken | | |
| sich bedienen | | |
| bekommen | | |
| einladen | | |
| einkaufen | | |
| sich entschuldigen | | |
| mitbringen | | |
| vergessen | | |
| vorbereiten | | |
| sich unterhalten | | |
| wiederfinden | | |

# Die Wortschatz-Hitparade

## Nomen

die Aufforderung, -en _____

das Benehmen *Sg.* _____

die Blume, -n _____

die Einladung, -en _____

der Frieden *Sg.* _____

die Garderobe, -n _____

das Gedicht, -e _____

der Grill, -s _____

die Hilfe, -n _____

der Himmel, – _____

der Mond, -e _____

die Pflanze, -n _____

die Planung, -en _____

das Plastik *Sg.* _____

die Pünktlichkeit *Sg.* _____

der Platz (Sitzplatz), "-e _____

die Stimmung, -en _____

der Tod, -e _____

der Traum, "-e _____

die Veranstaltung, -en _____

der Vogel, "– _____

der Widerspruch, "-e _____

## Verben

anreden _____

ansprechen _____

aufhalten _____

sich bedanken _____

(sich) bedienen _____

besitzen _____

betrachten _____

bewerten _____

fliehen _____

husten _____

küssen _____

schmecken _____

stören _____

verlangen _____

wegwerfen _____

widersprechen _____

## Adjektive

akzeptabel _____

distanziert _____

höflich _____

klassisch _____

negativ _____

positiv _____

prinzipiell _____

sachlich _____

schmutzig _____

selbstverständlich _____

sozialkritisch _____

streng _____

unfreundlich _____

wunderbar _____

## Andere Wörter

bevor _____

irgendetwas _____

seit _____

draußen _____

**11 Wie heißt der Begriff aus der Wortschatz-Hitparade?**

1. Hier hängen Sie Ihren Mantel auf:       *an der Garderobe* .

2. Freude haben gesagt: „Komm doch morgen zum Essen." Das ist eine _____ .

3. Ich komme nie zu spät, ich liebe: _____ .

4. Wenn ich zu Freunden gehe, bringe ich immer das mit: _____ .

5. Ein alte Dame kommt in den Bus. Sie bieten Ihren … an. _____ .

6. Das Gegenteil von Krieg ist: _____ .

7. Sie können ihn oft nachts am Himmel sehen: _____ .

8. Es ist nicht Realität, es ist ein: _____ .

9. Die meisten Menschen mögen es, wenn man … zu Ihnen ist. _____ .

10. Mein Freund kocht gern. Seine Spaghetti sind einfach: _____ .

**12 Wichtige Sätze und Ausdrücke – Schreiben Sie in Ihrer Sprache.**

Herzlich willkommen!       _____

Schön, dass Sie gekommen sind.       _____

Vielen Dank für die Einladung.       _____

Möchten Sie noch etwas / ein Glas Wein?       _____

Essen Sie auch Fisch/Fleisch?       _____

Gibt es etwas, was Sie nicht essen?       _____

Ich esse alles / kein Fleisch / keinen Fisch.       _____

Könnte ich noch etwas Reis/Nudeln haben?       _____

Es hat sehr gut geschmeckt.       _____

**13 Wichtige Wörter und Sätze für Sie – Schreiben Sie.**

Ihre Sprache:                                        Deutsch:

_____       _____

_____       _____

_____       _____

_____       _____

_____       _____

**14 Ich über mich**
**Was ist für Sie ein besonders gutes Fest?**

*Ich grille gern. Ich habe am liebsten viele Gäste, weil man sich dann gut unterhalten kann.*

# Grammatik im Überblick

**1** **Satzverbindungen: Hauptsatz – Hauptsatz**

| Hauptsatz | | Hauptsatz |
|---|---|---|
| Das Fahrrad (hat) einen Platten, | **deshalb** | (kommt) sie mit dem Bus. |
| Ich (fahre) viel Auto, | **aber** | im Dorf (nehme) ich immer das Fahrrad. |
| Wir (haben) zwei Autos | **und** | wir alle (haben) auch Fahrräder. |
| (Kommst) du mit dem Auto | **oder** | (nimmst) du lieber den Zug? |
| Ich (nehme) den Zug, | **denn** | mein Auto (ist) in der Werkstatt. |

**2** **Nebensätze: Satzstellung**

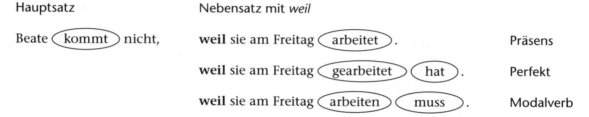

| Hauptsatz | Nebensatz mit *weil* | |
|---|---|---|
| Beate (kommt) nicht, | **weil** sie am Freitag (arbeitet). | Präsens |
| | **weil** sie am Freitag (gearbeitet) (hat). | Perfekt |
| | **weil** sie am Freitag (arbeiten) (muss). | Modalverb |

In allen Nebensätzen steht das Verb am Ende.

| Nebensatz mit *weil* | Hauptsatz |
|---|---|
| **Weil** Beate am Freitag (arbeitet), | (kommt) sie nicht zur Party. |

Wenn der Nebensatz zuerst steht, beginnt der Hauptsatz mit dem Verb.

**3** **Nebensatz: Konjunktionen**

Warum?  Mehmet kauft einen Blumenstrauß,  Grund
**weil** er zum Essen eingeladen ist.

Wann?  **Wenn** / Immer **wenn** Anne abends  Wiederholung
zu viel Wein trinkt,
schläft sie schlecht.
**Wenn** sie nicht bald kommen,  Bedingung
(dann) wird das Essen kalt.

Was?  Es ist wichtig, **dass** man immer
weiterlernen kann.

## 4 Nebensätze: Relativsätze
### a Gebrauch und Struktur

| | | |
|---|---|---|
| Wir bieten **einen Kurs** an. | **?** | **Einen Kurs**, <u>der kostenlos ist</u>. |
| | **?** | **Einen Kurs**, <u>den nur Männer besuchen</u>. |

Ein Relativsatz gibt mehr Informationen zu einem Nomen im Hauptsatz.

| Hauptsatz | Relativsatz (= Nebensatz) Relativpronomen | Verb |
|---|---|---|
| Ich organisiere die Kurse, | **die** wir im Freizeitzentrum | anbieten. |
| Das ist ein Arbeitsplatz, | **der** auch für Rentner | passt. |

### b Relativpronomen: Nominativ und Akkusativ

Sie bietet einen **Kurs** an, **der** kostenlos ist.

Sie bietet einen **Kurs** an, **den** nur Männer besuchen.

Sie bietet einen Kurs an, **der** kostenlos ist. (N)

Sie bietet einen Kurs an, **den** nur Männer besuchen. (A)

> Das **Genus** (*der, das, die*) vom Relativpronomen richtet sich nach dem Bezugswort im Hauptsatz.
>
> Der **Kasus** (N, A, D) richtet sich nach dem Verb im Nebensatz.

## Verb

## 5 Perfekt mit *haben/sein* + Partizip II
### Einfache Verben und Verben auf *-ieren*

| | Infinitiv | | haben/sein | | Partizip II |
|---|---|---|---|---|---|
| **ge...(e)t** | lernen | Paul | hat | in der Schule Deutsch | **ge**lern**t**. |
| **ge...en** | gehen | Er | ist | immer gern zur Schule | **ge**gang**en**. |
| **...t** | diskutieren | Er | hat | im Unterricht viel | diskutier**t**. |

### Trennbare Verben *(auf-, aus-, ein-, um- ...)* und nicht trennbare Verben *(be-, ver-, zer-, ent- ...)*

| | Infinitiv | | haben/sein | | Partizip II |
|---|---|---|---|---|---|
| **Präfix + ge...(e)t** | aussuchen | Er | hat | den Beruf selbst | aus**ge**such**t**. |
| **Präfix + ge...en** | weggehen | Sie | ist | heute Morgen | weg**ge**gang**en**. |
| **...(e)t** | verdient | Ich | habe | am Anfang wenig Geld | verdien**t**. |
| **...en** | bekommen | Wir | haben | ein gutes Gehalt | bekomm**en**. |

Die meisten Verben bilden das Perfekt mit *haben*.

Einige Verben bilden das Perfekt mit *sein*:

| | |
|---|---|
| Verben der Bewegung | gehen, laufen, fahren, fliegen, kommen ... |
| Verben der Zustandsveränderung | einschlafen, aufwachen, aussteigen, einsteigen ... |
| Einige Ausnahmen | sein, passieren, bleiben |

## 6 Modalverb: *sollen*

| Formen | | Gebrauch: | über Ratschläge und Aufträge berichten |
|---|---|---|---|
| ich | soll | Ratschlag | Frau Kiesel **soll** eine Stellenanzeige aufgeben. |
| du | soll**st** | | Ich **soll** regelmäßig im Internet nachsehen. |
| er/es/sie/man | soll | Auftrag | Ich **soll** eine Bewerbungsmappe zusammenstellen. |
| wir | soll**en** | | Du **sollst** um neun Uhr zum Chef kommen. |
| ihr | soll**t** | | Wir **sollen** am Wochenende Überstunden machen. |
| sie/Sie | soll**en** | | |

## 7 Modalverben im Präteritum

| Infinitiv | dürfen | können | müssen | wollen | sollen |
|---|---|---|---|---|---|
| ich | durfte | konnte | musste | wollte* | sollte |
| du | durftest | konntest | musstest | wolltest | solltest |
| er/es/sie/man | durfte | konnte | musste | wollte | sollte |
| wir | durften | konnten | mussten | wollten | sollten |
| ihr | durftet | konntet | musstet | wolltet | solltet |
| sie/Sie | durften | konnten | mussten | wollten | sollten |

\* Im Präteritum ersetzt man *möchte* durch die Präteritumsformen von *wollen*.

## 8 Verb: *werden* im Präsens und Präteritum

| ich | werde | wurde |
|---|---|---|
| du | wirst | wurdest |
| er/es/sie/man | wird | wurde |
| wir | werden | wurden |
| ihr | werdet | wurdet |
| sie/Sie | werden | wurden |

## 9 Passiv

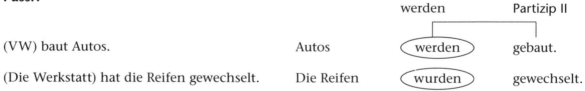

| | | werden | Partizip II |
|---|---|---|---|
| (VW) baut Autos. | Autos | werden | gebaut. |
| (Die Werkstatt) hat die Reifen gewechselt. | Die Reifen | wurden | gewechselt. |

## 10 Verb: *lassen*

| ich | lasse |
|---|---|
| du | lässt |
| er/es/sie/man | lässt |
| wir | lassen |
| ihr | lasst |
| sie/Sie | lassen |

Er ⬭ lässt ⬭ sein Fahrrad ⬭ reparieren ⬭.

Wir ⬭ lassen ⬭ die Wohnung ⬭ renovieren ⬭.

Ich ⬭ lasse ⬭ die Haare ⬭ schneiden ⬭.

## 11 Konjunktiv

### a *würde* + Verb im Infinitiv

Bei den meisten Verben benutzt man *würde* + Verb im Infinitiv.

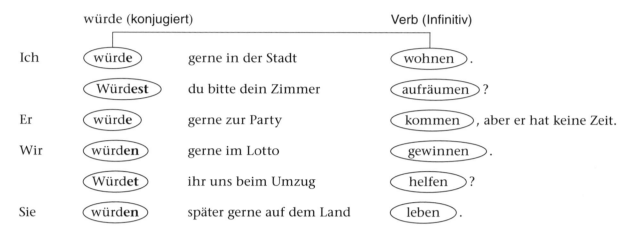

|  | würde (konjugiert) |  | Verb (Infinitiv) |  |
|---|---|---|---|---|
| Ich | würde | gerne in der Stadt | wohnen | . |
|  | Würdest | du bitte dein Zimmer | aufräumen | ? |
| Er | würde | gerne zur Party | kommen | , aber er hat keine Zeit. |
| Wir | würden | gerne im Lotto | gewinnen | . |
|  | Würdet | ihr uns beim Umzug | helfen | ? |
| Sie | würden | später gerne auf dem Land | leben | . |

### b *hätte*

| ich | hätte | Ich hätte gern ein Auto. |
|---|---|---|
| du | hättest | Hättest du gern ein Schwimmbad im Haus? |
| er/es/sie/man | hätte | Wir hätten gern mehr Zeit für unsere Hobbys. |
| wir | hätten |  |
| ihr | hättet |  |
| sie/Sie | hätten |  |

Die Verbendungen sind wie beim Präteritum von *haben: hatte, hattest* …

### c *könnte*

| ich | könnte | Ich könnte eine Suppe als Vorspeise machen. |
|---|---|---|
| du | könntest | Du könntest im Park Leute treffen. |
| er/es/sie/man | könnte | Er könnte in einen Verein gehen. |
| wir | könnten | Wir könnten zusammen lernen. |
| ihr | könntet |  |
| sie/Sie | könnten |  |

Die Verbendungen sind wie beim Präteritum von *können: konnte, konntest* …

## 12 Zukunft: Präsens und Zeitangabe

| Zeitangaben vor dem Verb | Zeitangabe gleich nach dem Verb |
|---|---|
| **Nach der Schule** gehe ich ins Ausland. | Ich gehe **nach der Schule** ins Ausland. |
| **Morgen** beginnt der neue Kurs. | Der neue Kurs beginnt **morgen**. |
| **In zwei Jahren** möchte ich Deutsch können. | Ich möchte **in zwei Jahren** Deutsch können. |
| **Morgen** gehe ich nach dem Kurs ins Kino. | Ich gehe **morgen nach dem Kurs** ins Kino. |

### 13 Verben mit Dativ

Nach einigen Verben, z. B. *stehen* (Kleidung), *passen, gefallen, danken*, steht immer der Dativ.

Das Kleid steht **mir**, aber es passt **mir** nicht.

Der Anzug gefällt **ihm**.

Ich danke **dir/Ihnen/euch / dem** Team / **den** Kollegen.

### 14 Verben mit Dativ- und Akkusativergänzung

| Subjekt | Verb | Dativergänzung (Person) | Akkusativergänzung (Sache) |
|---------|------|-------------------------|----------------------------|
| Ich | wünsche | dir/euch/Ihnen | ein schönes Fest. |
| Johannes | empfiehlt | seinen Gästen (ihnen) | die Geburtstagstorte. |
| Dagmar | schenkt | Johannes (ihm) | eine CD. |
| Er | gibt | seiner Freundin (ihr) | sein Handy. |

### 15 Verben mit Präpositionen

| | |
|---|---|
| sich engagieren für | Ich engagiere mich **für** Schulkinder mit Lernproblemen. |
| sich interessieren für | Ich interessiere mich **für** Hunde. |
| sich freuen auf | Ich freue mich **auf** meinen Geburtstag. |
| sich freuen über | Ich freue mich **über** eure Geschenke. |
| sprechen von | Sie sprechen **vom** letzten Fußballspiel. |
| sprechen mit | Er spricht **mit** der Kollegin |
| sprechen über | Er spricht **über** den Chef. |

## Pronomen

### 16 Personalpronomen (N, A, D) und Reflexivpronomen (A)

| Nominativ | Akkusativ | Dativ | Reflexivpronomen (Akkusativ) | |
|-----------|-----------|-------|------------------------------|---|
| ich | mich | mir | mich | Darf ich mich setzen? |
| du | dich | dir | dich | Natürlich, setz dich auf das Sofa. |
| er | ihn | ihm | **sich** | Er hat sich ein Motorrad gekauft. |
| es | es | ihm | **sich** | Es hat sich nicht gelohnt. |
| sie | sie | ihr | **sich** | Sie hat sich sehr geärgert. |
| wir | uns | uns | uns | Wir freuen uns auf euch. |
| ihr | euch | euch | euch | Ihr müsst euch keine Sorgen machen. |
| sie/Sie | sie/Sie | ihnen/Ihnen | **sich** | Uli und Clara haben sich getrennt. |

*Ich sehe mich.*    *Er sieht sich.*    *Ich sehe ihn.*    *Sie sieht ihn.*

## 17 Verbindungen mit *es*

 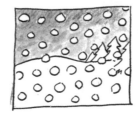  

| | | |
|---|---|---|
| Wetter | Es regnet. | Wie lange regnet es schon? |
| | Es schneit. | Hat es in München geschneit? |
| | Es ist neblig/kalt/heiß. | War es heute Morgen sehr neblig? |

| | |
|---|---|
| unpersönliche Ausdrücke | Es ist wichtig, dass man regelmäßig Pausen macht. |
| | Es tut mir leid, dass dir der Urlaub nicht gefallen hat. |
| | Es gibt viel zu tun. |

| | |
|---|---|
| persönliches Befinden | ● Wie geht es dir? |
| | ○ Mir geht es super. |
| | Es schmeckt mir immer! |
| | Es tut weh. |

## 18 Fragewörter und Kasus: *wer, wen, wem* und *was*

Personen
- ● Wer (N) **ist** das?     ○ (Das ist) mein Onkel.
- ● Wen (A) **magst** du am liebsten von deiner Familie?     ○ Meinen Onkel.
- ● Wem (D) **schenkst** du etwas zum Geburtstag?     ○ Meinen Kindern und Neffen.

Sachen
- ● Was (N) **ist** das?     ○ Ein Kuli.
- ● Was (A) **magst** du lieber, Familienfeiern oder Partys?     ○ Ich finde beides schön.

## 19 Pronomen *kein* und Possessivpronomen

| Singular | Maskulinum | Neutrum | Femininum |
|---|---|---|---|
| Nominativ: | keiner/meiner/dein**er**/… | kein**s**/mein**s**/dein**s**/… | kein**e**/mein**e**/dein**e**/… |

| | | |
|---|---|---|
| der Stift | das Buch | die Tasche |
| ● Ist das dein**er**? | ● Ist das unser**s**? | ● Ist das seine? |
| ○ Ja, das ist mein**er**. | ○ Ja, das ist euer**s**. | ○ Nein, das ist ih**re**. |

## 20 Indefinita

### a Bedeutung

| | |
|---|---|
| Personen | man, jemand, niemand |
| Sachen | etwas, nichts |

| | | | |
|---|---|---|---|
| Personen/Sachen | alle *(Pl.)* | viele *(Pl.)* | einige *(Pl.)* |

### b Deklination von *jemand/niemand* und *alle/viele/einige*

| | nur Singular | nur Plural |
|---|---|---|
| Nominativ | jemand, niemand | alle, viele, einige |
| Akkusativ | jemand(**en**), niemand(**en**)* | alle, viele, einige |
| Dativ | jemand(**em**), niemand(**em**)* | alle**n**, viele**n**, einige**n** |

\* *Jemand* und *niemand* gebraucht man auch ohne Kasusendungen.

## 21 Demonstrativa

### a Artikel als Demonstrativpronomen

| | | |
|---|---|---|
| **Der** Rock ist super. | **Der** gefällt mir auch. | Nominativ |
| | Aber **den** finde ich viel zu teuer. | Akkusativ |
| | Ja, mit **dem** siehst du toll aus. | Dativ |
| **Das** Hemd ist zu lang. | **Das** hier ist eine Nummer kleiner. | Nominativ |
| | Probier **das** mal an. | Akkusativ |
| | Bei **dem** gefällt mir aber die Farbe so gut. | Dativ |
| **Die** Bluse ist gut. | Ja, **die** ist echt super. | Nominativ |
| | Ja, aber ich finde **die** zu teuer. | Akkusativ |
| | Mit **der** siehst du fünf Jahre jünger aus. | Dativ |

### b *Welch...?* und *dies...*

| | der Rock | das Hemd | die Bluse | |
|---|---|---|---|---|
| N | Welcher Rock ... | Welches Hemd ... | Welche Bluse ... | ... gefällt dir? |
| | Dieser. | Dieses. | Diese. | |
| A | Welchen Rock ... | Welches Hemd ... | Welche Bluse ... | ... ziehst du gern an? |
| | Diesen. | Dieses. | Diese. | |
| D | Mit welchem Rock ... | Mit welchem Hemd ... | Mit welcher Bluse ... | ... gehst du ins Büro? |
| | Mit diesem. | Mit diesem. | Mit dieser. | |

## Adjektive

### 22 Adjektive vor dem Nomen: Deklination

#### a Adjektive vor dem Nomen <u>ohne</u> Artikel

| | |
|---|---|
| de**r** Mann | sportliche**r** Mann |
| di**e** Frau | romantisch**e** Frau |
| da**s** Kind | kleine**s** Kind |
| di**e** Männer/Frauen … | sportlich**e**, romantisch**e**, intelligent**e** Männer/Frauen … |

Die letzten Buchstaben der bestimmten Artikel und von Adjektiven *ohne* Artikel sind gleich.

#### b Adjektive nach unbestimmten Artikeln und Possessivartikeln: *ein, kein, mein, dein …*

| | |
|---|---|
| Bernd ist (N) | ein schöne**r**, schlanke**r** Mann. |
| Ich habe (A) | keinen dunkle**n** Anzug. |
| Mit (D) | deiner neue**n** Frisur siehst du zehn Jahre jünger aus. |

Singular

| | Maskulinum | Neutrum | Femininum |
|---|---|---|---|
| | de**r** Anzug | da**s** Hemd | di**e** Brille |
| N | k/ein neue**r** Anzug | k/ein neue**s** Hemd | k/eine neue Brille |
| A | k/einen dunkle**n** Anzug | k/ein bunte**s** Hemd | k/eine neue Brille |
| D | k/einem teure**n** Anzug | k/einem schöne**n** Hemd | k/einer neue**n** Brille |

Plural

| | |
|---|---|
| | di**e** Anzüge/Hemden/Brillen |
| N | keine neu**en** Anzüge/Hemden/Brillen |
| A | keine dunkl**en** Anzüge/Hemden/Brillen |
| D | keine**n** bunt**en** Anzüge**n**/Hemden/Brillen |

#### c Adjektive nach den bestimmten Artikeln

| | Maskulinum | Neutrum | Femininum | Plural |
|---|---|---|---|---|
| N | der schöne Kopf | das schöne Ohr | die schöne Nase | die schön**en** Köpfe/Beine/Hände |
| A | den schön**en** Kopf | das schöne Ohr | die schöne Nase | die schön**en** Köpfe/Beine/Hände |
| D | dem schön**en** Kopf | dem schön**en** Ohr | der schön**en** Nase | den schön**en** Köpfen/Beinen/Händen |

---

**TIPP**   Die Adjektivendungen lernt man mit der Zeit! Die Endung *-en* ist am häufigsten.

---

## 23 Adjektive: Komparativ und Superlativ
### a Regelmäßige Formen

|  | ä | ö | ü | (e) |
|---|---|---|---|---|
|  | eng | lang | groß | kurz | teuer |
| Komparativ | eng**er** | läng**er** | größ**er** | kürz**er** | teu**r**er |
| Superlativ | am eng**sten** | am läng**sten** | am größ**ten** | am kürz**esten** | am teuer**sten** |

### b Unregelmäßige Formen

|  | gut | gern | viel |
|---|---|---|---|
| Komparativ | besser | lieber | mehr |
| Superlativ | am besten | am liebsten | am meisten |

## Präpositionen

## 24 Präpositionen mit Dativ

Herr **VON NACHSEITZU**
und Frau **AUSBEIMIT**
bleiben mit dem Dativ fit.

## 25 Präpositionen mit Akkusativ

| | |
|---|---|
| durch | Man darf mit dem Auto nicht **durch** den Park fahren. |
| für | Die Bescheinigung brauche ich **für** den Führerschein. |
| gegen | Man kann nichts **gegen** die Benzinpreise machen. |
| ohne | Fahren Sie nie **ohne** einen gültigen Fahrschein! |
| um | Sie können hier **um** diese Zeit immer parken. |
| um (... herum) | Fahren Sie **um** den Park (**herum**) und dann geradeaus. |

## 26 Präpositionen mit Akkusativ (*wohin* ⃞) oder Dativ (*wo* •)

Die wichtigsten Präpositionen mit Akkusativ oder Dativ sind:

| an | auf | hinter | in | neben | über | unter | vor | zwischen |

**⃞ wohin**

Ich will das Sofa **an die** Wand — stellen.
Du kannst das Buch **neben das** Radio — legen.
Kann ich mich **auf den** Stuhl — setzen?
Wir wollen **in die** Türkei — fliegen.
Der Hund muss **vor die** Tür — gehen.

⚠ Kann ich den Rock **in den** Schrank — hängen?

**• wo**

Er hat sein Sofa **an der** Wand — stehen.
Das Buch muss **neben dem** Radio — liegen.
Bleib ruhig **auf dem** Stuhl — sitzen!
Ich möchte **in der** Türkei — leben.
Der Hund bleibt **vor der** Tür — stehen.

Ich habe alle Kleider **im** Schrank — hängen.

## Wortbildung

### 27 Adjektive aus Nomen oder Verben

| | |
|---|---|
| -ig | kräftig, selbstständig, großzügig |
| -lich | sportlich, natürlich, täglich |
| -isch | modisch, kaufmännisch, italienisch |
| -bar | zählbar, essbar, lesbar, tragbar |

### 28 Nomen aus Adjektiv + -heit/-keit

| | -heit | | | -keit | |
|---|---|---|---|---|---|
| schön | die Schöheit | | möglich | die Möglichkeit |
| krank | die Krankheit | | sauber | die Sauberkeit |
| gesund | die Gesundheit | | pünktlich | die Pünktlichkeit |

### 29 Nomen aus Verb + -ung

| | -ung | | | -ung | |
|---|---|---|---|---|---|
| packen | die Packung | | rechnen | die Rechnung |
| entschuldigen | die Entschuldigung | | anmelden | die Anmeldung |
| wohnen | die Wohnung | | einladen | die Einladung |

> **TIPP** Nomen mit den Endungen -heit, -keit, -ung, -tion, -schaft, -tur sind immer Femininum.

### 30 un- + Adjektiv = das Gegenteil

| | | Aber | |
|---|---|---|---|
| bekannt | unbekannt | | |
| freundlich | unfreundlich | arm | reich |
| interessant | uninteressant | schön | hässlich |
| möglich | unmöglich | teuer | billig |
| regelmäßig | unregelmäßig | | |
| wichtig | unwichtig | | |
| zufrieden | unzufrieden | | |

> **TIPP** Adjektive mit ihrem Gegenteil lernen.

*Wir sehen uns dann zum B1-Kurs!*

# Lösungen

## Kapitel 13

**1a** 1. die Arbeitshose, 2. die Winterjacke, 3. die Bluse, 4. der Pullover, 5. das Kleid, 6. die Mütze, 7. der Schal, 8. der BH, 9. der Gürtel, 10. der Rock, 11. der Mantel, 12. der Sportschuh, 13. die Socke, 14. der Slip, 15. die Unterhose, 16. der Schutzhelm, 17. das Hemd, 18. das Unterhemd, 19. die Krawatte, 20. der Handschuh, 21. die Jeans, 22. die Strumpfhose, 23. der Schuh, 24. der Stiefel

**1b** **Beispiele:**
das Gesicht, die Haare, die Nase, das Auge, der Mund, das Ohr, das Kinn, der Hals, die Schulter, der Arm, die Hand, der Finger, die Brust, der Bauch, der Po, das Bein, das Knie, der Fuß, die Zehe

**2a** 1. immer, 2. nie, 3. manchmal, 4. oft, 5. selten

**2b** 1. ● Trägst du oft Jeans?
　 ○ Ich trage in meiner Freizeit nur Jeans.
2. ● Was tragen Sie bei der Arbeit, Frau Müller?
　 ○ Ich trage oft eine Bluse und einen Rock / einen Rock und eine Bluse.
3. ● Was trägst du in deiner Freizeit?
　 ○ Da trage ich manchmal eine Jogginghose.

**3a** dritter Stock, zweiter Stock, erster Stock, Erdgeschoss, Untergeschoss

**3b** 1. vorne rechts, 2. hinten links, 3. hinten rechts, 4. vorne links

**4** 1. ● Entschuldigung, wo kann ich den Rock anprobieren?
　 ○ Die Umkleidekabinen sind dahinten links.
2. ● Der Rock ist mir zu klein. Haben Sie ihn eine Nummer größer?
　 ○ Ja, aber dann nur noch in Blau.
3. ● Der Anorak ist mir zu warm, ich suche etwas für den Sommer.
　 ○ Leichte Anoraks und Jacken finden Sie im zweiten Stock.
4. ● 200 Euro kostet der Mantel? Das ist zu teuer.
　 ○ Der hier ist billiger. Nur 169 Euro.
5. ● Brauchen Sie etwas für die Freizeit oder fürs Büro?
　 ○ Ich suche einen Anzug für die Arbeit.
6. ● Welche Größe haben Sie?
　 ○ Keine Ahnung!

**5a** Nominativ
ich　du　er/es/sie　　wir　ihr　sie/Sie
Akkusativ
mich　dich　ihn/es/sie　　uns　euch　sie/Sie
Dativ
mir　dir　ihm/ihm/ihr　uns　euch　ihnen/Ihnen

**5b** 1. Das T-Shirt gefällt mir nicht. Was sagst du? Gefällt es dir?
2. Das Kleid steht Ihnen sehr gut. Dieses Orange passt wunderbar zu Ihnen.
3. Pia und Sonja, wie gefallen euch die Röcke?
4. Hast du Ralf mit der neuen Brille gesehen? Die steht ihm aber überhaupt nicht.
5. Können Sie mir bitte die Sommerhosen zeigen?

**6** 1. Der – Den – dem, 2. Das – Das – dem, 3. die – die – der

**7** 2. Der Anzug ist genauso teuer wie die Hose.
3. Die Schuhe sind billiger als die Stiefel.
4. Das Hemd ist schöner als das T-Shirt.
5. Die Jacke ist genauso weit wie die Bluse.
6. Die Jacke kostet mehr als der Mantel.
7. Der Bikini kostet genauso viel wie der Badeanzug.
8. Tom trägt das Hemd genauso gern wie das T-Shirt.
9. Pullover sind wärmer als Hemden.
10. Sissi zieht Kleider lieber als Jeans an.

**9** 1. überhaupt, 2. begeistert, 3. anprobieren, 4. reduzieren

## Kapitel 14

**1** 1. Frohe Ostern!
2. Prost Neujahr!
3. Frohe Weihnachten!
4. Viel Glück für euch beide!
5. Herzlichen Glückwunsch zum Geburtstag!

**2a** 1. anziehen, 2. kaufen, 3. essen, 4. feiern, 5. suchen, 6. heiraten, 7. bringen, 8. tanzen, 9. trinken

**2b**
| | |
|---|---|
| 1. er/sie bringt | er/sie hat gebracht |
| 2. er/sie zieht an | er/sie hat angezogen |
| 3. er/sie geht | er/sie ist gegangen |
| 4. er/sie isst | er/sie hat gegessen |
| 5. er/sie trinkt | er/sie hat getrunken |

**3** Lieber Kai,
am 12. April habe ich … Dieses Jahr … Dazu lade ich dich und Bettina herzlich ein. Das Fest … Bitte gebt mir bald Bescheid. … Ihr könnt auch gern eure Kinder mitbringen. Sie können mit unserem Sohn bei unseren Nachbarn schlafen. …
Rainer

**4** 1. Meinen – meinen
2. Unsere – ihren
3. eurem – eurer
4. unseren
5. unsere – ihrer

**5a** 1h, 2a, 3g, 4b, 5e, 6d, 7c, 8f

**5b** **Beispiele:**
Peter schenkt seinem Großvater einen Gutschein.
Sylvia zeigt ihrer Tochter eine Halskette.
Herr Knoll erklärt seiner Frau das Problem.
Cindy und Bert leihen ihren Kollegen ihr Auto.
Du verkaufst deinem Freund deinen Fernseher.
Die Chefin empfiehlt den Kollegen mehr Ruhe.
Anna gibt ihrer Mutter einen Kuss.
Frau Winkel kauft ihrem Vater ein Kissen.

**6a** der Vater – die Mutter
die Tochter – der Sohn
die Großmutter – der Großvater
der Cousin – die Cousine
die Schwester – der Bruder
der Ehemann – die Ehefrau
die Tante – der Onkel
die Eltern – die Kinder
die Scheidung – die Heirat

**6b** 1. Bist du / Sind Sie verheiratet?
2. Hast du / Haben Sie Kinder?
3. Wo wohnen deine/Ihre Eltern?
4. Wie oft siehst du / sehen Sie deine/Ihre Eltern?
5. Wie alt sind deine/Ihre Eltern?
6. Wie viele Leute kommen zu Familienfesten?

**7** 1. dürfen/können – müsst
2. darfst – will/darf
3. Kannst – kann
4. Wollt/Könnt – können
5. muss/will – muss
6. Darf/Kann – muss/will
7. Willst – will/kann

**8** 2. Ich durfte keinen Alkohol trinken.
3. Ich durfte keinen Sport machen.
4. Ich konnte nur spazieren gehen.
5. Ich wollte doch gesund werden.

**9** 1. Gestern wollten wir ins Kino gehen. Aber wir
mussten länger arbeiten.
2. Konntest du mit 12 Fahrrad fahren?
3. Durften Sie mit 16 alleine verreisen?
4. Mehmet musste gestern Wörter lernen.
5. ● Wolltet ihr nicht verreisen?
○ Wir wollten, aber wir durften nicht.

# Kapitel 15

**1a** Meine Familie kommt aus der Türkei und lebt <u>seit
über 30 Jahren</u> in Deutschland. Ich bin in
Deutschland <u>geboren und aufgewachsen</u>. Ich habe
einen deutschen Pass. Bin ich nun Deutscher
oder Türke? Ist Deutschland <u>meine Heimat</u> oder
die Türkei?

Für meine Verwandten <u>in der Türkei</u> bin ich „der
Deutsche". Das kann ich verstehen, weil ich ja
nur manchmal <u>zu Besuch</u> komme. Aber für viele
Deutsche bleibe ich immer „der Türke". Man ist
<u>für viele</u> Deutsche noch lange nicht Deutscher,
wenn man den deutschen Pass hat. Auch gut
Deutsch sprechen <u>ist nicht genug</u>. Weil ich heiße,
<u>wie ich heiße</u>, und aussehe, wie ich aussehe, bin
ich für manche nie <u>einer von ihnen</u>.

**1b** Ich <u>arbeite bei</u> einer internationalen Software-
Firma und <u>lebe in</u> den USA und in Deutschland.
Ich habe mich gut auf <u>das Arbeiten und Leben</u>
im Ausland vorbereitet. Die Sprache war <u>kein
Problem</u>, weil ich in der Schule Englisch gelernt
habe. Die Firma hat mir <u>sehr geholfen</u> … „<u>Das
gibt</u> keine Probleme, weil die USA und Deutschland ja zwei westliche Länder sind." Das habe
ich geglaubt, bis ich den amerikanischen Alltag
kennengelernt habe. Am Anfang sieht alles
<u>sehr locker</u> aus, aber man muss <u>sehr viele</u> Regeln
kennen. Wenn man <u>in zwei Kulturen</u> lebt, kann
man sehr gut vergleichen und man kann viel <u>von
der anderen Kultur</u> lernen.

**2** 1f, 2d, 3a, 4h, 5c, 6g, 7e, 8b

**3** 2. Weil er hier Arbeit findet.
3. Weil er morgen einen Test schreibt.
4. Weil ich die Sprache lernen will.
5. Weil ich Urlaub habe.
6. Weil ich eine Erkältung habe.
7. Weil ich sparen muss.
8. Weil ich nicht tanzen kann.
9. Weil sie ihre Tante besucht.
10. Weil nachts kein Bus fährt.

**4** 1ac, 2bc, 3ac, 4bc

**5** 1f, 2h, 3a, 4b, 5g, 6d, 7e, 8c

**6** 2. Wenn du die Küche sauber machst, …
3. Wenn du keine Lust zum Lernen hast, …
4. …, wenn ich abwasche?
5. …, wenn die Nachbarn weiter so laut sind.
6. …, wenn sie einen Termin haben.

**7** Sehr geehrte Familie Blau,
wir <u>schreiben</u> Ihnen diese E-Mail, weil … Wir
<u>können</u> <u>verstehen</u>, dass … wenn es mal laut <u>wird</u>.
Aber wir <u>können</u> nicht mehr <u>akzeptieren</u>, …
Bitte <u>hören</u> Sie damit <u>auf</u>. Wenn das nicht <u>passiert</u>,
dann <u>müssen</u> wir mit der Hausverwaltung
<u>sprechen</u>.
Mit freundlichen Grüßen
Karina Stiller

**8**  Ana Nunes  Rod Peters
1. aber | 5. Wenn
2. denn – weil | 6. denn
3. weil | 7. Wenn – denn
4. weil – aber | 8. weil

**9**  1. Aber ich war vor Ihnen da. 2. Können Sie mir bitte Ihre Reservierung zeigen? 3. Davorne ist noch ein Platz frei. 4. Entschuldigung, das tut mir leid. 5. Sie müssen sich hier anstellen. 6. Entschuldigung, ich habe das Schild nicht gesehen.

# Kapitel 16

**1a**  2. Grundschule, 3. Gymnasium, Noten, 4. Spaß, 5. Lehre, Ausbildung, 6. Stelle, 7. Abitur, Universität

**1b**  1. Mit vier Jahren ist Martha Brink in den Kindergarten gekommen.
2. Zwei Jahre später ist sie in die Schule gegangen.
3. Nach vier Jahren haben ihre Eltern sie auf dem Gymnasium angemeldet, weil sie gute Noten hatte / weil sie gute Noten gehabt hat.
4. Aber ab der 7. Klasse hat Martha die Schule keinen Spaß mehr gemacht.
5. Nach der 10. Klasse hat sie die Schule verlassen und eine Lehre als Buchhalterin begonnen. Die Ausbildung hat drei Jahre gedauert.
6. Danach hat sie keine Stelle gefunden, deshalb ist sie wieder zur Schule gegangen.
7. 2011 hat sie ihr Abitur gemacht und hat danach an einer Universität studiert.

**2**  Abitur, Gymnasium, Universität, Ausbildung, Grundschule, Abendschule, Kindergarten, Schulabschluss, Berufsschule, Gesamtschule, Stundenplan, Unterricht

**3**  2. Es ist wichtig, dass man regelmäßig zum Zahnarzt geht.
3. In der Zeitung steht, dass morgen der Schlussverkauf beginnt.
4. Ich glaube, dass der Schrank nicht in die Küche passt.
5. Ich hoffe, dass Sabine ihre Meisterprüfung besteht.
6. Es stimmt, dass es in Bielefeld oft regnet.
7. Ich habe gehört, dass eine Wohnung im 3. Stock frei wird.
8. Die Kursleiterin hat gesagt, dass wir morgen ein Projekt beginnen.

**4**

| Infinitiv | 3. Person Singular | Perfekt |
|---|---|---|
| lesen | er/sie liest | er/sie hat gelesen |
| vorlesen | er/sie liest vor | er/sie hat vorgelesen |
| schreiben | er/sie schreibt | er/sie hat geschrieben |
| abschreiben | er/sie schreibt ab | er/sie hat abgeschrieben |
| kommen | er/sie kommt | er/sie ist gekommen |
| machen | er/sie macht | er/sie hat gemacht |
| studieren | er/sie studiert | er/sie hat studiert |
| bleiben | er/sie bleibt | er/sie ist geblieben |
| gehen | er/sie geht | er/sie ist gegangen |
| nehmen | er/sie nimmt | er/sie hat genommen |

**5**  2. Hast du das gern gemacht?
3. Hast du gut verdient?
4. Er ist in die Abendschule gegangen.
5. Martha hat ein Kind bekommen.
6. Wir haben unser Auto verkauft.
7. Sie haben eine Wohnung gesucht.
8. Ich bin in Köln geblieben.
9. Wir haben euch angerufen.
10. Er hat ihr eine E-Mail geschrieben.

**6**  morgens, abends, vormittags, mittags, nachmittags, nachts
(am) Sonntag, Dienstag, Donnerstag, Freitag, Mittwoch, Montag, Samstag
vorgestern, gestern, heute, morgen, übermorgen
diese Woche, dieses Jahr, diesen Monat

**7**  2. In Zukunft esse ich nachts den Kühlschrank nicht mehr leer! 3. Ab übermorgen gehe ich jeden Morgen schwimmen! 4. Im Sommer fahre ich viel Fahrrad! 5. Ab Montag trinke ich kein Bier mehr! 6. Von jetzt an vergesse ich deinen Geburtstag nicht! 7. Ab heute lerne ich jeden Tag 30 Minuten! 8. Ab jetzt gehe ich zweimal im Jahr zum Zahnarzt!

**8a**  A: … Ich gehe erst mal ein Jahr als Au-pair-Mädchen nach Amerika und verbessere mein Englisch. Nächstes Jahr fange ich eine Ausbildung zur Erzieherin an. Ich arbeite gerne mit Kindern. Viele Eltern müssen arbeiten und haben nicht genug Zeit für ihre Kinder.
B: Nach der Schule habe ich eine Lehre als Fachinformatiker gemacht. In drei Wochen beginnt die Abendschule. Dort mache ich in zwei Jahren mein Abitur. Ich hoffe, dass ich einen guten Notendurchschnitt bekomme. Dann studiere ich Medizin und bin in acht Jahren Arzt. Wenn ich nicht sofort einen Studienplatz bekomme, jobbe ich ein paar Monate in der Fabrik und reise dann durch Afrika. Das ist mein Traum.

**8b**  C: Nach dem Hauptschulabschluss habe ich eine Lehre gemacht und sechs Jahre als Köchin im

Hotel gearbeitet. Jetzt <u>lerne</u> ich Englisch <u>und</u> habe in zwei Monaten meine Prüfung. <u>Im</u> nächsten Jahr <u>beginne</u> ich dann mit einer <u>Weiterbildung</u> zur Hotelkauffrau.
D: Meine <u>Zukunft</u> ist klar: Ich muss <u>Deutsch</u> lernen, das ist das Wichtigste. Meine Frau ist schon <u>länger</u> in Deutschland und spricht schon ganz gut. Im <u>Herbst</u> bekommen wir unser <u>erstes</u> Kind. Als Lkw-Fahrer bin ich <u>lange</u> von zu Hause weg. Deshalb mache ich <u>bald</u> meinen Taxischein. Dann bin ich abends immer zu <u>Hause</u>.

**9** das Gehalt, die Abrechnung, die Rechnung, die Arbeit, die Zeit, die Woche, das Ende, die Stelle, die Anzeige, die Schule, der Abschluss, der Schluss, das Kind, der Garten, der Computer, die Kenntnisse (*Pl.*), das Haus, die Aufgaben (*Pl.*), der Beruf, die Ausbildung, die Bildung, die Stunde, der Lohn

**10** 1. Abitur – Studium, 2. Lehre, 3. Prüfung, 4. Einkommen, 5. übernimmt, 6. verbessern, 7. schaffe, 8. nachholen

**11**
| | |
|---|---|
| privat | staatlich |
| eng | breit |
| unflexibel | flexibel |
| gleich | verschieden |
| dörflich | städtisch |
| unsozial | sozial |
| global | regional |
| teuer | kostenlos |

# Kapitel 17

**1** 1. Badewanne, 2. Sofa, 3. Stuhl, 4. Vorhänge, 5. Heizung, 6. Teppich, 7. Lampe, 8. Miete, 9. Tasse, 10. Teller, 11. Bett, 12. Esstisch, 13. Sessel, 14. Besteck, 15. Herd

Wohnzimmertisch

**2** Liebe Magda,
endlich <u>ist es so weit</u>. ... und Tom zieht <u>nächste Woche</u> ein. ... und ist <u>wirklich schön</u>. Ich habe mein Bett <u>an die</u> Wand gestellt ... Den Schreibtisch habe ich <u>rechts neben das</u> Fenster gestellt. So habe ich immer viel Licht <u>beim Lernen</u>. ... Links <u>an der Wand steht</u> ein Regal. ... und <u>ein paar</u> Bücher. ...
... <u>Die haben wir</u> in die Küche gestellt. <u>Vielleicht kommt sie</u> später ins Bad.

**3** an – neben – auf – in – hinter – über – vor – zwischen – unter

**4** 2. zwischen, 3. im, 4. in, 5. vor, 6 im, 7. auf, 8. auf, 9. in, 10. unter

**5** 1. auf – in, 2. unter, 3. zwischen, 4. neben, 5. über – an

**6** 2. Stellen, 3. gelegt – liegt, 4. Setzen – sitze, 5. hängen, 6. hängt

**7** **Beispiele:**
altmodisch – modern
ledig – verheiratet
verheiratet – geschieden
warm – kalt
kalt – heiß
hart – weich
gut – schlecht
falsch – richtig
ruhig – laut
laut – leise
langsam – schnell
toll – langweilig
langweilig – interessant
gesund – krank
erkältet – fit
geschlossen – offen
hübsch – hässlich
hässlich – schön
dick – dünn
kompliziert – einfach
einfach – schwer
häufig – selten
spät – früh
kurz – lang
nett – unsympathisch
hungrig – satt
sauber – schmutzig
sicher – unsicher
genau – ungenau
dunkel – hell
gemütlich – ungemütlich
wichtig – unwichtig
süß – sauer
hoch – niedrig
eng – weit

**8**

| | Präsens | Präteritum | Konjunktiv II |
|---|---|---|---|
| ich | werde | wurde | würde |
| du | wirst | wurdest | würdest |
| er/es/sie/man | wird | wurde | würde |
| wir | werden | wurden | würden |
| ihr | werdet | wurdet | würdet |
| sie/Sie | werden | wurden | würden |

| | Präsens | Präteritum | Konjunktiv II |
|---|---|---|---|
| ich | habe | hatte | hätte |
| du | hast | hattest | hättest |
| er/es/sie/man | hat | hatte | hätte |
| wir | haben | hatten | hätten |
| ihr | habt | hattet | hättet |
| sie/Sie | haben | hatten | hätten |

**9a** 2. Er würde gern in Berlin wohnen.
3. Wir würden euch gern einladen.
4. Sie würden gern eine Wohnung kaufen.
5. Würdest du gern den Teppich kaufen?
6. Würdet ihr gern euer Auto verkaufen?

7. Sie würde gern heiraten.
8. Er würde gern am Wochenende grillen.

**9b** 2. Er hätte gern ein Fahrrad. 3. Wir hätten gern Kinder. 4. Sie hätten gern viele Freunde. 5. Wir hätten gern Spaß beim Lernen. 6. Sie hätte gern keine Angst vor Prüfungen. 7. Hättest du gern viel Zeit für dich? 8. Hättet ihr gern Arbeit?

**10** Wohnzimmer, Schlafzimmer, Arbeitszimmer, Küche, Bad/Toilette

# Kapitel 18

**1** 1. Parkschein, 2. Fahrplan, 3. Stau, 4. Strafzettel, 5. Bahnsteig, 6. Jahreskarte, 7. Führerschein,
Sein Fahrrad hat einen Platten.

**2** 1. tanken, 2. gehen, 3. benutzen, 4. fahren, 5. kaufen, 6. erreichen, 7. fahren, 8. kennen, 9. machen, 10. anhalten

**3a** 1. Natürlich hatten wir ein Auto und das war auch sehr bequem. 2. Aber in die Stadt bin ich nur mit öffentlichen Verkehrsmitteln gefahren. 3. Mit dem Auto musste ich einen Parkplatz suchen und habe oft Strafzettel bekommen! 4. Nach der Arbeit habe/bin ich mindestens eine halbe Stunde im Stau gestanden. 5. Die hohen Benzinkosten haben mich am meisten gestört. 6. Das Auto hat/ist fast immer in der Garage gestanden. 7. Bei schlechtem Wetter habe ich die Straßenbahn genommen oder ich bin zu Hause geblieben. 8. Nur größere Einkäufe habe ich mit dem Auto gemacht.

**3b** Vor 30 Jahren habe ich zwar meinen Führerschein gemacht, aber Auto fahre ich nie. Früher hatte ich kein Geld für ein Auto. Deshalb bin ich immer mit dem Fahrrad gefahren. Und jetzt habe ich mich daran gewöhnt. Ich bin fast 50 Jahre alt und will fit bleiben. Auch deshalb fahre ich immer Fahrrad. Morgens fahre ich damit zur Arbeit, danach gehe ich einkaufen.

**3c** Meine Frau und ich wohnen mit unserer Tochter Meike und meinen Eltern in einem Haus auf dem Land. Bis jetzt haben wir drei Autos, aber in zwei Monaten macht Meike ihren Führerschein und dann will sie sich sofort ein gebrauchtes Auto kaufen. Es kann alt sein. Hauptsache, es fährt. Mein Arbeitsplatz ist fast 20 km von meinem Wohnort entfernt, deshalb brauche ich ein Auto und meine Frau will unabhängig sein. Meine Eltern finden ein Auto einfach bequem. Einkaufen, Arztbesuche, Bekannte besuchen – das ist mit dem Auto am einfachsten.

**4** 1. Wenn Mehmet abends Kaffee trinkt, kann er nicht schlafen.
Mehmet kann nicht schlafen, wenn er abends Kaffee trinkt.
2. Wenn Heidi morgens nicht duscht, wird sie nicht wach.
Heidi wird nicht wach, wenn sie morgens nicht duscht.
3. Wenn Axel Urlaub hat, liest er viele Bücher.
Axel liest viele Bücher, wenn er Urlaub hat.
4. Wenn Margot und Frank einkaufen müssen, benutzen sie das Fahrrad.
Margot und Frank benutzen das Fahrrad, wenn sie einkaufen müssen.
5. Wenn ich die Prüfung gut schaffe, bin ich zufrieden.
Ich bin zufrieden, wenn ich die Prüfung gut schaffe.
6. Wenn wir zusammen ein Fest machen, müssen wir Essen und Trinken organisieren.
Wir müssen Essen und Trinken organisieren, wenn wir zusammen ein Fest machen.
7. Wenn du lange arbeitest, musst du genug Pausen machen.
Du musst genug Pausen machen, wenn du lange arbeitest.
8. Wenn Olga Geburtstag hat, macht sie ein Fest.
Olga macht ein Fest, wenn sie Geburtstag hat.

**5** 1. Sie kauft sich ein neues Kleid, weil sie zu seiner Hochzeit geht.
2. Er möchte in Deutschland arbeiten, deshalb besucht er einen Deutschkurs.
3. Sie zieht in eine andere Stadt, weil sie eine neue Arbeitsstelle gefunden hat.
4. Sie treffen sich im Sportverein, weil sie gerne Fußball spielen.
5. Er bewirbt sich auf eine Stelle, deshalb schreibt er einen Lebenslauf.
6. Er möchte das Abitur machen, deshalb geht er aufs Abendgymnasium.
7. Sie steht immer früh auf, weil sie dann am besten arbeiten kann.
8. Sie ist arbeitslos, deshalb fährt sie in diesem Jahr nicht in Urlaub.

**6** das Frostschutzmittel, die Bremsen (Pl.), die Batterie, die Reifen (Pl.), der Motor, der Ölwechsel, der Scheibenwischer, volltanken, nachfüllen, kontrollieren

**7**

| ich | werde | wurde |
|---|---|---|
| du | wirst | wurdest |
| er/es/sie/man | wird | wurde |
| wir | werden | wurden |
| ihr | werdet | wurdet |
| sie/Sie | werden | wurden |

**8a** 1. Der Teppich wird/wurde gesaugt.
2. Die Fenster werden/wurden geputzt.
3. Die Schränke werden/wurden aufgeräumt.

4. Die Bücher werden/wurden geordnet.

5. Die Küche wird/wurde gestrichen.

6. Die Sommerkleider werden/wurden gereinigt.

**8b** 2. Heißes Wasser wird über die Tomaten gegossen.

3. Die Tomaten und die Zwiebeln werden geschält.

4. Alles wird klein geschnitten.

5. Öl wird in einem Topf heiß gemacht.

6. Tomaten, Zwiebeln, Salz, Pfeffer usw. werden in den Topf gegeben.

7. Wasser wird dazugegeben.

8. Die Soße wird 20 Minuten gekocht.

**9**

| Infinitiv | lassen |
|---|---|
| ich | lasse |
| du | lässt |
| er/es/sie/man | lässt |
| wir | lassen |
| ihr | lasst |
| sie/Sie | lassen |

2. Er lässt seinen Freund seine Hausaufgaben machen. 3. Rolfs Schwester lässt ihre Kleider von einer Tante nähen. 4. Ich lasse mein Motorrad in der Werkstatt reparieren. 5. Wo lässt du deine Wäsche waschen? 6. Ich lasse meine Wäsche nicht waschen. Ich wasche selbst. 7. Wir lassen unsere Kinder unsere Wohnung renovieren. 8. Lasst ihr eure Wohnung auch renovieren?

**10** 1. reinigen, 2. wechseln, 3. Rechnung, 4. Tankstelle, 5. …reifen, 6. kontrollieren, 7. Batterie, 8. tanken, 9. Motor, 10. überprüfen, 11. Wasser, 12. parken, 13. Benzin, 14. Motorrad, 15. Führerschein

# Kapitel 19

**1** **Beispiele:**
der Rucksack: leicht/schwer, das T-Shirt, das Sofa, das Bild, die Lampe, die Brille, der Hund, die Reifen, das Auto: schnell/langsam …

**2** Ich mag schöne Kleider. Das ist wichtig für mich. Meine Freundin hat mir mal eine interessante Farbberatung geschenkt: „Welcher Farbtyp sind Sie?" Meine Lieblingsfarben sind Blau und Grau, aber die passen nicht zu mir. Zu mir passen warme Farben: Rot, Orange, Gelb, Braun, Beige, auch ein warmes Blau. Manchmal trage ich auch etwas Schwarzes, das passt immer. Einen hellblauen Pullover oder eine grüne Bluse kann ich nicht tragen. Damit sehe ich alt und krank aus. Ich kaufe mir nicht viel Kleidung, aber die Sachen müssen mir hundertprozentig gefallen. Wenn ich schön angezogen bin, fühle ich mich wohl. Das macht mich glücklich.

**3** 1. Das ist mein neuer Pullover.

2. Ich mag meinen neuen Pullover.

3. Ich träume von einem neuen Pullover.

4. Das ist mein kurzes Kleid.

5. Ich mag mein kurzes Kleid.

6. Ich träume von einem kurzen Kleid.

7. Das ist meine schicke Hose.

8. Ich mag meine schicke Hose.

9. Ich träume von einer schicken Hose.

10. Das sind meine roten Schuhe.

11. Ich mag meine roten Schuhe.

12. Ich träume von meinen roten Schuhen.

**4** 2. Das ist ein sehr guter Wein.

3. Das ist ein günstiges Restaurant.

4. Das ist ein sehr zartes Fleisch.

5. Das ist ein sicherer Arbeitsplatz.

6. Das ist eine sehr anstrengende Arbeit.

7. Das ist ein interessantes Stellenangebot.

8. Das ist ein sehr sympathischer Chef.

**5** 2. Hat Olga einen anstrengenden Tag?

3. Haben Sie einen neuen Computer?

4. Liest Mehmet deutsche Zeitungen?

5. Machen Sie eine wichtige Prüfung?

6. Trägst du deine weiße Bluse zur Party?

7. Gefällt dir mein bunter Rock?

8. Kennst du ein französisches Restaurant?

9. Esst ihr holländische Kartoffeln?

10. Möchtet ihr einen schwarzen Kaffee?

**6** 2. Einen großen, runden für 6 Personen.

3. Ein langer, roter.

4. Eine englische. Die kaufe ich am Bahnhof.

5. Einen schwarzen mit ganz viel Zucker.

6. Ein altes, rotes.

7. Meinen blauen mit den Streifen.

8. Ein blaues mit gelben Punkten.

9. Meine warme, dicke Winterjacke.

**7** **Beispiele:**

2. eine lange/wichtige Freundschaft

3. eine kleine/interessante Familie

4. eine liebe/alte Tante

5. ein teures/deutsches Restaurant

6. ein alter/billiger Wein

7. ein schöner/interessanter Kinofilm

8. eine kleine/billige Wohnung

9. eine wichtige/lange Verabredung

10. eine interessante/teure Ausbildung

**8** **Beispiele:**

1. Tomate: rot, rund, gesund, teuer

2. Hut: neu, modern, groß, grün

3. Fahrrad: sportlich, leicht, billig, schnell

4. Bett: gemütlich, toll, hart, praktisch

5. Wohnung: möbliert, warm, sauber, groß

6. Lehrer/in: langweilig, interessant, arbeitslos, fröhlich

7. Arbeit: stressig, neu, einfach, anstrengend

8. Kaffee: kalt, heiß, schwarz, günstig

9. Buch: interessant, langweilig, toll, teuer

10. Kursnachbar/in: sympathisch, glücklich, fröhlich, toll

**9** 1c, 2d, 3a, 4f, 5b, 6e

**10** 1. Wie viel bezahlst du für deine Wohnung?
2. Die Wohnung ist ohne Zentralheizung.
3. Ich kann nicht ohne meinen Computer arbeiten.
4. Ich brauche das Internet für meinen Job.
5. Sonja geht nie ohne ihr Handy aus dem Haus.
6. Ich kaufe Parfüm für meinen Freund.

**11** rund – eckig
dumm – intelligent
erfolglos – erfolgreich
dunkelblau – hellblau
furchtbar – wunderschön
fröhlich – ernst
unsportlich – sportlich
weiblich – männlich
fehlerhaft – perfekt
unsympathisch – sympathisch
progressiv – konservativ
arm – reich

# Kapitel 20

**1b** 1. Freundeskreis, 2. Bekannten, 3. Sommer – ab und zu, 4. Fußball, 5. Nähkurs, 6. Freizeitaktivität – Picknick, 7. grillen, 8. Spielplatz, 9. etwas trinken – kann – kennenlernen

**2** 1. lieber, 2. besser, 3. nicht so … wie, 4. schöner, 5. genauso … wie, 6. billiger als

**3** jemand ⟷ niemand

etwas ⟷ nichts

alle ⟷ viele ⟷ einige

**4** 1. Kennt jemand die Telefonnummer vom Ausländeramt? 2. Kannst du mir etwas Brot geben?
3. Einige Freunde von mir sprechen drei Sprachen.
4. Man kommt in Deutschland pünktlich zu Einladungen. / In Deutschland kommt man pünktlich zu Einladungen. 5. Ich habe noch niemanden in einer Kneipe kennengelernt. 6. Ich habe morgen etwas Zeit. Kommst du mit ins Schwimmbad?

**5** Personalpronomen

| Nominativ | Akkusativ | Dativ |
|---|---|---|
| | Das Geschenk | Der Ball |
| | ist für … | gehört … |
| ich | mich. | mir. |
| du | dich. | dir. |
| er | ihn. | ihm. |
| es | es. | ihm. |
| sie | sie. | ihr. |
| wir | uns. | uns. |
| ihr | euch. | euch. |
| sie/Sie | sie/Sie. | ihnen/Ihnen. |

Possessivpronomen im Nominativ

| maskulinum | neutrum | femininum |
|---|---|---|
| Das ist nicht | Das ist nicht | Das ist nicht |
| Tims Hund, | Tims Buch, | Tims Tasche, |
| das ist … | das ist … | das ist … |
| meiner. | meins. | meine. |
| deiner. | deins. | deine. |
| seiner. | seins. | seine. |
| seiner. | seins. | seine. |
| ihrer. | ihres. | ihre. |
| unserer. | unsers. | unsere. |
| eurer. | eures. | eure. |
| ihrer/Ihrer. | ihres/Ihres. | ihre/Ihre. |

**6** 1h, 2e, 3c, 4b, 5a, 6d, 7f, 8g

**7** Klaus
Ich esse gern, aber ich kann nicht kochen. Allein kochen und essen macht keinen Spaß. Ich langweile mich dabei. Dann habe ich die Anzeige gelesen. Ich wusste sofort: Da melde ich mich an, das interessiert mich! Freitag war ich ein bisschen aufgeregt. Um sechs Uhr bin ich zum Kurs gegangen. Ich habe mich vorgestellt und dann haben wir gekocht. Claudia war meine Partnerin. Wir haben uns gut unterhalten. Nach dem Kurs wollte ich mich mit Claudia verabreden, aber dann hat sie sich mit Michael verabredet. Ich bin allein etwas trinken gegangen.

Claudia
Unser Kochclub trifft sich immer freitags. Leider sind wir nur Single-Frauen. Dann hatten wir die Idee mit der Anzeige! Freitag habe ich mich schön angezogen und war schon um fünf Uhr im Kursraum. Um sechs kamen dann die neuen Mitglieder.
Wir haben uns begrüßt und die Neuen haben sich vorgestellt. Dann haben wir gekocht. Klaus war mein Partner. Er hat sich gleich neben mich gesetzt und mich dauernd angesehen. Nach dem Kurs habe ich mich mit Michael verabredet!

**8a**
| ich | du | er/es/sie | wir | ihr | sie/Sie |
|---|---|---|---|---|---|
| mich | dich | sich | uns | euch | sich |

**8b** 2. Wir haben uns für Freitag verabredet.
3. Der Kochkurs trifft sich immer um 18 Uhr.
4. Sie haben sich begrüßt und miteinander geredet.
5. Dürfen wir uns vorstellen? Otto und Karla Leu.
6. Setzen Sie sich doch. Was trinken Sie?
7. Ich brauche noch fünf Minuten. Ich muss mich noch rasieren.
8. Wenn ich in die Disco gehe, mache ich mich gern schön.
9. Claudia hat sich über Klaus geärgert.
10. Wir haben uns auf den Abend sehr gefreut.

**9** **Beispiele:**

| | |
|---|---|
| Sport | machen |
| ein Picknick | machen, organisieren |
| Würstchen | mitbringen, grillen, braten, kochen |
| Geld | verdienen, ausgeben, mitbringen |
| etwas zum Essen | machen, mitbringen, kochen, organisieren |
| Fußball | spielen |

**10** 2. Sie könnten den Brief schreiben.
3. Ihr könntet uns am Freitag anrufen.
4. Wir könnten uns um 12 Uhr treffen.
5. Ihr könntet mehr Obst essen.
6. Ihr könntet euch Fahrräder kaufen.
7. Du könntest in einen Sportverein gehen.
8. Ihr könntet tanzen gehen.

**11** 1. unterhalten, 2. gestritten, 3. überraschen,
4. engagiere, 5. zusammenbringen, 6. entdeckt,
7. amüsieren

# Kapitel 21

**1** Er arbeitet in einer Arztpraxis, Fabrik, Tankstelle, Bäckerei, an/in einer Schule …
Sie jobbt im Restaurant, im Supermarkt, im Fitnessstudio, im Büro …
Er/Sie ist Taxifahrer/Taxifahrerin, Rechtsanwalt/Rechtsanwältin, Arzt/Ärztin, Koch/Köchin, Frisör/Frisörin, Metzger/Metzgerin.
Wir arbeiten bei einem Rechtsanwalt, Paketdienst …

**2** 1. Stelle, 2. Wie, 3. Teilzeit, 4. Überstunden,
5. vorstellen, 6. Jahr, 7. Haben, 8. verdient,
f) Stunden, g) bezahlen

1b, 2f, 3h, 4e, 5c, 6d, 7a, 8g

**3** **Beispiele:**
1. flexible – gute – freundlichen – neuen/sympathischen/jungen
2. neue – freundlichen
3. alte – neuen – neue
4. neue/alte/gute – alten/neuen
5. neuen

**4** 1. meinem alten – meinem ersten
2. Die neue – den jungen – großen
3. Unsere kleine – kreativen – einer motivierten
4. Niedrige – ein schlechtes – niedriger
5. einen warmen – eine dicke
6. Der rote – dem blauen
7. eine weiße – einen bunten, langen
8. einen großen – heißer
9. ein kleines – den großen – frischen
10. ein dickes – scharfer

**5**
| | |
|---|---|
| der Mann, der | den |
| das Kind, das | das |
| die Frau, die | die |
| die Leute, die | die |

**6** 1. die, 2. die, 3. den, 4. den, 5. der, 6. den, 7. die

**7** 2. Ich habe das Auto gekauft. Das Auto ist vier Jahre alt.
Das Auto, das ich gekauft habe, ist vier Jahre alt.
3. Die Frau steht in der Mitte. Die Frau ist meine Schwester.
Die Frau, die in der Mitte steht, ist meine Schwester.
4. Die Mannheimer mögen den Park sehr. Der Park heißt Luisenpark.
Der Park, den die Mannheimer sehr mögen, heißt Luisenpark.
5. Ich will die Wohnung mieten. Die Wohnung ist für mich allein zu groß.
Die Wohnung, die ich mieten will, ist für mich allein zu groß.
6. Das Fest heißt Weihnachten. Die Deutschen feiern das Fest am 24.12.
Das Fest, das die Deutschen am 24.12. feiern, heißt Weihnachten.
7. Wir haben die Reise nach Basel gemacht. Die Reise war wunderschön.
Die Reise, die wir nach Basel gemacht haben, war wunderschön.
8. Ich habe den Fahrschein gekauft. Der Fahrschein hat 125 Euro gekostet.
Der Fahrschein, den ich gekauft habe, hat 125 Euro gekostet.

**8** 1. Arbeitsagentur – die
2. Bewerbungsunterlagen – die
3. Passfoto – das
4. tabellarischer Lebenslauf – die
5. Zeugnis – das
6. Fabrik – die
7. Putzfrau – die
8. Kassierer – der
9. Aushilfe – die
10. Küchenhilfe – die
11. Teilzeitarbeit – die
12. flexible – die
13. Schichtdienst – die
14. Stundenlohn – die

**10**
| | |
|---|---|
| die Hilfe | helfen |
| die Diskussion | diskutieren |
| die Fortbildung | (sich) fortbilden |
| die Ernährung | (sich) ernähren |
| die Empfehlung | empfehlen |
| die Bewerbung | (sich) bewerben |
| der Kassierer | kassieren |
| die Vermittlung | vermitteln |
| die Unterstützung | unterstützen |

# Kapitel 22

**1** Mein Alltag und die Medien? Gute Frage. Darüber habe ich eigentlich noch nie nachgedacht. Also, beim Frühstück höre ich immer Radio. Um sieben klingelt der Wecker, das heißt, er klingelt nicht, er geht an. Es ist ein Radiowecker. So werde ich immer mit Musik geweckt und ich höre kurz die Nachrichten. Ja, und dann beim Frühstücken höre ich weiter Musik und ich lese die Zeitung. Die liegt morgens immer schon vor der Tür. Dann packe ich mein Handy und meinen MP3-Player ein und gehe zur Arbeit. Auf dem Weg schreibe ich ein paar SMS. Im Büro mache ich meinen Computer an und höre den Anrufbeantworter ab. Ich sitze fast den ganzen Tag am PC. Ich korrigiere Texte, beantworte Mails und recherchiere im Internet. Manchmal gehe ich nach der Arbeit mit Freunden ins Kino oder sehe abends fern oder ich hole mir Filme aus dem Internet.

**2** 2. Rufst du mich zurück? 3. Ich rufe dich später noch mal an. 4. Es ist immer besetzt. 5. Sprichst du mir auf den Anrufbeantworter? 6. Ich verbinde Sie mit Frau Roland. 7. Ich habe dir eine Mail geschickt. 8. Wann kommen die Nachrichten?

**3** 2. Buch, 3. Telefon, 4. Anhang, 5. anrufen, 6. umschalten, 7. abschicken, 8. treffen

**4a** 2. … hat er die Nachrichten gehört.
3. … hat/haben sie am Computer gearbeitet.
4. … hat er die Zeitung gelesen.
5. … hat er mit Peter am Telefon gesprochen.
6. … haben wir eine SMS bekommen.
7. … habt ihr eine SMS geschickt.
8. … habe ich eine Mail an dich geschrieben.
9. … hat Tom die Fotos heruntergeladen.
10. … sind wir ins Kino gegangen.
11. … hat/haben sie eine Nachricht gemailt.
12. … habe ich den Fernseher ausgeschaltet.
13. … hat/haben sie den Anrufbeantworter abgehört.
14. … hat Jenny mit Felice telefoniert.

**5a** 1. herrlich, ärgerlich, schriftlich, freundlich, täglich, persönlich, sportlich, möglich, hässlich
2. wichtig, günstig, langweilig, regelmäßig
3. ausländisch, modisch, kritisch, sympathisch, praktisch
4. kostenlos, kaputt, international, interessant, verheiratet, ausgezeichnet, berühmt, zufrieden, leise

**5b** **Beispiele:**
1. langweilig, interessant, kritisch, ausgezeichnet
2. international, günstig, kostenlos, wichtig
3. wichtig, persönlich, herrlich, kostenlos
4. freundlich, sympathisch, interessant, berühmt

**6** 1. wenn, 2. weil, 3. dass, 4. Wenn, 5. weil, 6. dass, 7. weil, 8. dass

**7** Welches Handy gefällt Ihnen besser? – Dieses. Welche Brille ist schöner? – Diese. Welcher Teppich ist schöner? – Dieser. Welche Blumen gefallen Ihnen besser? – Diese.

**8** 2. Ich finde nicht, dass Kinder ab 12 ein Handy brauchen. 3. Ich finde, dass es viele interessante Sendungen im Fernsehen gibt. 4. Ich finde, dass Computerunterricht im Kindergarten Unsinn ist. 5. Ich meine, dass es zu viel Werbung im Fernsehen gibt. 6. Ich glaube, dass manche Menschen ohne den Fernseher nicht mehr leben können. 7. Es ist klar, dass man im Internet aktuellere Informationen bekommt als im Fernsehen.

**9** 1. Anrufbeantworter, 2. Fernsehprogramm, 3. Fernsehsender, 4. umschalten, 5. herunterladen, 6. mailen, 7. empfangen, 8. anmachen, 9. surfen, 10. populär

# Kapitel 23

**1** Nach dem Zweiten Weltkrieg (1939–45) gab es von 1949 bis 1990 zwei deutsche Staaten. Von 1961 bis 1989 trennte eine Mauer Ost- und Westberlin. Man kam nicht oder nur mit großen Problemen über die Grenze von der BRD (Bundesrepublik Deutschland) in die DDR (Deutsche Demokratische Republik) oder umgekehrt. Durch die friedliche Revolution in der DDR kam es am 9. November 1989 zum Fall der Mauer. Die Grenze zwischen Ost und West wurde geöffnet. Die Bürger der DDR durften zum ersten Mal seit 1961 wieder frei reisen. 1990 sind die heutigen östlichen Bundesländer zur Bundesrepublik gekommen. Der 3. Oktober ist deshalb ein Feiertag: der „Tag der Deutschen Einheit".

**2** 1c, 2g, 3f, 4b, 5e, 6d, 7j, 8h, 9i, 10a

**3** 2. über seinen, 3. an seine, 4. mit deutschen, 5. für den, 6. auf die, 7. für deutsche, 8. für andere, 9. um seinen, 10. bei Ihnen

**4** 2e – … ohne gute Bildung bekommt man keinen guten Arbeitsplatz.
3c – … die Leute können ihre Freizeit allein organisieren.
4d – … mich das persönlich betrifft.
5b – … sind die Familien so klein.
6f – … sie sonst niemand benutzt.

**5**

2. Ich (habe) drei Jahre Deutsch (gelernt).

3. Der Zug (ist) um 11 Uhr (abgefahren).

4. Ich (muss) heute noch Wörter (lernen).

5. (Kannst) du mir morgen (helfen)?

6. Er (durfte) schon mit 16 Jahren (wählen).

7. Ich (würde) gerne Karate (lernen).

8. Die Kanzlerin (wird) vom Parlament (gewählt).

9. Nach dem Krieg (wurde) Deutschland (geteilt).

**6**

| Infinitiv | sein | haben | müssen |
|---|---|---|---|
| ich | war | hatte | musste |
| du | warst | hattest | musstest |
| er/es/sie/man | war | hatte | musste |
| wir | waren | hatten | mussten |
| ihr | wart | hattet | musstet |
| sie/Sie | waren | hatten | mussten |

| Infinitiv | dürfen | können | wollen |
|---|---|---|---|
| ich | durfte | konnte | wollte |
| du | durftest | konntest | wolltest |
| er/es/sie/man | durfte | konnte | wollte |
| wir | durften | konnten | wollten |
| ihr | durftet | konntet | wolltet |
| sie/Sie | durften | konnten | wollten |

| Infinitiv | sollen |
|---|---|
| ich | sollte |
| du | solltest |
| er/es/sie/man | sollte |
| wir | sollten |
| ihr | solltet |
| sie/Sie | sollten |

**7a**

| | 3. Person Präsens | Präteritum | Perfekt |
|---|---|---|---|
| bringen | sie bringt | sie brachte | sie hat gebracht |
| denken | sie denkt | sie dachte | sie hat gedacht |
| fahren | sie fährt | sie fuhr | sie ist gefahren |
| finden | sie findet | sie fand | sie hat gefunden |
| fliegen | sie fliegt | sie flog | sie ist geflogen |
| geben | sie gibt | sie gab | sie hat gegeben |
| gehen | sie geht | sie ging | sie ist gegangen |
| heißen | sie heißt | sie hieß | sie hat geheißen |
| kennen | sie kennt | sie kannte | sie hat gekannt |
| kommen | sie kommt | sie kam | sie ist gekommen |
| liegen | sie liegt | sie lag | sie hat gelegen |
| nehmen | sie nimmt | sie nahm | sie hat genommen |
| rufen | sie ruft | sie rief | sie hat gerufen |
| sehen | sie sieht | sie sah | sie hat gesehen |
| stehen | sie steht | sie stand | sie hat/ist gestanden |

**7b** Am Abend bekam sie Kopfweh. Zuerst dachte ihr Mann, das ist der Wein, aber es ging ihr immer schlechter. Er rief nachts um drei den Notarzt. Der Arzt kam nach 20 Minuten. Er untersuchte sie. Sie musste ins Krankenhaus. Ihr Mann packte einen Koffer für das Krankenhaus. Sie warteten eine halbe Stunde auf den Krankenwagen. Sie wurde sofort operiert.

**9** 1. politisch, 2. die Reaktion, 3. der Antrag, 4. gerecht, 5. die Gesundheit, 6. das Leben – leben, 7. die Regel, 8. staatlich, 9. (sich) engagieren, 10. das Interesse – interessant, 11. diskutieren

# Kapitel 24

**1** 2. Es ist unfreundlich, wenn man anderen nicht hilft. 3. Man soll älteren Menschen einen Platz in der Straßenbahn anbieten. 4. Man darf auf der Straße nicht ausspucken. 5. Man soll in der Öffentlichkeit nicht in der Nase bohren. 6. Man darf zu Terminen nicht zu spät kommen. 7. Es ist unhöflich, wenn man mitten in einem Gespräch eine SMS liest. 8. Man soll beim Husten die Hand vor den Mund halten. 9. Man soll das Handy bei Veranstaltungen nicht eingeschaltet lassen. 10. Man darf am Tisch nicht rülpsen oder schmatzen.

**2a** 2. … einen kleinen Jungen mit einer grauen Mütze. 3. … einen alten Mann mit einem großen Hund. 4. … die neue Nachbarin. 5. … viele schmutzige Autos. 6. … meinen Sohn mit seiner neuen Freundin.

**2b** 1. meinem neuen, 2. meine blaue – schwarze, 3. kleine – alten, 4. einen großen – italienischer, 5. ein saftiges – ein kaltes, 6. einen langen, 7. ganze – ein wunderschöner

**3** Wenn ich Leute zum Abendessen ein<u>lad</u>e, bereite <u>ich</u> das ge<u>nau</u> vor. Be<u>vor</u> ich m<u>it</u> der Pla<u>nung</u> beginne, fr<u>age</u> ich me<u>ine</u> Gäste, w<u>as</u> sie g<u>ern</u> essen <u>und</u> was g<u>ar</u> nicht. Man<u>che</u> essen ke<u>in</u> Fleisch od<u>er</u> trinken ke<u>inen</u> Alkohol. Man<u>che</u> sind ge<u>gen</u> irgendetwas aller<u>gisch</u>. Zu e<u>inem</u> guten Es<u>sen</u> gehört be<u>i</u> mir e<u>ine</u> schöne Tischdekoration. Vieles ber<u>eite</u> ich sch<u>on</u> einen Tag vor<u>her</u> v<u>or</u>. Nach d<u>em</u> Kochen ma<u>che</u> ich m<u>ich</u> schön. Da<u>nn</u> mache ich Musik an und warte auf die Gäste.

**4a** **Beispiele:**
1. den Tisch decken, dekorieren, vorbereiten, kaufen
2. ein Menü anbieten, planen, essen, vorbereiten, mitbringen, kaufen
3. pünktlich essen, kommen
4. sich für die Einladung bedanken
5. ein kleines Geschenk vorbereiten, mitbringen, kaufen
6. den Nachtisch dekorieren, anbieten, planen, essen, vorbereiten, mitbringen, kalt stellen, kaufen
7. die Getränke anbieten, vorbereiten, mitbringen, kalt stellen, kaufen
8. kein Fleisch essen, kaufen
9. das Geschirr abwaschen, decken, kaufen
10. noch etwas Nudeln anbieten, vorbereiten, kaufen

**5** 1. uns – mich – sich
2. dich – mich
3. sich – uns
4. dich – mich

**6** 2. Fastfood essen ist schneller als selber kochen.
3. Döner ist besser als Hamburger. / Hamburger ist besser als Döner.
4. Gesundheit ist wichtiger als Geld.
5. Ich trinke Saft lieber als Alkohol. / Ich trinke Alkohol lieber als Saft.
6. Er trinkt mehr Tee als Kaffee. / Er trinkt mehr Kaffee als Tee.
7. Am Morgen ist es kühler als am Mittag. / Am Mittag ist es kühler als am Morgen.
8. Heute ist es wärmer als gestern. / Gestern war es wärmer als heute.

**7a**
| | | | |
|---|---|---|---|
| an D/A | aus D | bei D | bis A |
| durch A | für A | gegen A | hinter D/A |

| | | | |
|---|---|---|---|
| in D/A | neben D/A | ohne A | mit D |
| nach D | seit D | über D/A | unter D/A |
| von D | vor D/A | zu D | zwischen D/A |

**7b** 1. Vor dem Essen, 2. Nach dem Essen, 3. seit meiner Schulzeit, 4. Für einen guten Wein, 5. in dem kleinen Schrank, 6. auf die großen Teller, 7. auf dem Balkon – über den Flur, 8. gegen das Rauchen

**8** 1e, 2d, 3f, 4a, 5b, 6c

**9** 1. früher, 2. Jetzt, 3. zuerst, 4. Dann, 5. Früher, 6. meistens, 7. oft, 8. nie, 9. immer, 10. selten

**10**

| Infinitiv | 3. Person Präsens | Perfekt |
|---|---|---|
| anbieten | er bietet an | er hat angeboten |
| anfangen | er fängt an | er hat angefangen |
| sich bedanken | er bedankt sich | er hat sich bedankt |
| sich bedienen | er bedient sich | er hat sich bedient |
| bekommen | er bekommt | er hat bekommen |
| einladen | er lädt ein | er hat eingeladen |
| einkaufen | er kauft ein | er hat eingekauft |
| sich entschuldigen | er entschuldigt sich | er hat sich entschuldigt |
| mitbringen | er bringt mit | er hat mitgebracht |
| vergessen | er vergisst | er hat vergessen |
| vorbereiten | er bereitet vor | er hat vorbereitet |
| sich unterhalten | er unterhält sich | er hat sich unterhalten |
| wiederfinden | er findet wieder | er hat wiedergefunden |

**11** 2. Einladung, 3. Pünktlichkeit, 4. Blumen, 5. Platz/Sitzplatz, 6. Frieden, 7. den Mond, 8. Traum, 9. höflich, 10. wunderbar

# Quellen

Alle Fotos, die im Folgenden nicht aufgeführt sind: Vanessa Daly

S. 10: Nick Freund – Fotolia.com
S. 16: oben: Annalisa Scarpa-Diewald
    unten: Frank Herzog – Shutterstock.com
S. 22: oben: Nerlich Images – Fotolia.com
    unten: DphiMan – Fotolia.com
S. 25: Shutterstock.com
S. 34: Anne-Britt Svinnset – Shutterstock.com
S. 37: links: Tomboy2290 – Fotolia.com
    Mitte: felinda – Fotolia.com
    rechts: Rimglow – Fotolia.com
S. 40: Mitte: Christiane Lemcke
    unten: Fotolia.com

S. 46: links: Stephen Coburn – Fotolia.com
    Mitte: blue-images.net – Fotolia.com
    rechts: Kzenon – Fotolia.com
S. 48: laif
S. 52: oben links: Irina Fischer – Fotolia.com
    oben rechts: Anja Greiner Adam – Fotolia.com
    unten links: Annalisa Scarpa-Diewald
    unten rechts: detailblick – Fotolia.com
S. 64: links: ullstein – high
    rechts: Increa – Fotolia.com
S. 71: Lutz Rohrmann
S. 78: Lutz Rohrmann
S. 83: Patrizia Tilly – Fotolia.com